L'ART

DE DÉTERMINER

LA LONGITUDE EN MER.

Les formalités conservatrices de la propriété litté-
raire ayant été remplies, je déclare que je poursuivrai
comme contrefacteurs les détenteurs d'exemplaires
qui ne seront point revêtus de ma signature.

IMPRIMERIE DE E. DÉZAIRS, A BLOIS.

L'ART

DE DÉTERMINER

LA LONGITUDE EN MER,

AVEC UNE PRÉCISION INCONNUE JUSQU'À CE JOUR;

PRÉCÉDÉ DE LA MANIÈRE

DE PRÉVENIR ET RECONNAITRE L'ERREUR DU POINTÉ;

PAR J.ᵐ DEVOULX, DE MARSEILLE.

PARIS.

CHEZ E. BABEUF, A LA LIBRAIRIE ENCYCLOPÉDIQUE
DES LETTRES, DES SCIENCES, ET DES ARTS ET MÉTIERS,
RUE DE LA HARPE, Nº 11.

1830.

AVIS DES ÉDITEURS.

L'avantage que le public retirera de l'ouvrage qu'on lui présente en ce moment, peut être envisagé sous deux points de vue :

Premièrement, sous celui de la découverte que l'auteur a faite, laquelle consiste à corriger, par le moyen des compensations, l'erreur qui peut résulter de l'imperfection des instrumens qu'on emploie pour observer les astres, et à s'assurer de la longitude du lieu où l'on se trouve, avec une précision inconnue jusqu'à ce jour.

Ces compensations, auxquelles personne n'avait songé avant lui, sont parfaitement détaillées et expliquées dans l'ouvrage même.

Secondement, il offre encore à un

grand nombre de marins , des détails précieux sur la manière de prendre la hauteur des astres , et principalement sur la manière de prévenir et de reconnaître l'erreur du pointé, chose de la plus grande conséquence dans la navigation. On ne croit pas que personne jusqu'à présent soit entré dans des détails aussi essentiels.

Voilà ce que nous avions à dire sur les motifs qui nous ont portés à publier cet ouvrage ; et nous ne doutons pas qu'après une première lecture, tout homme un peu instruit, qu'il soit marin ou non , ne demeure convaincu de la véracité de l'éloge que nous nous permettons d'en faire.

L'ART

DE DÉTERMINER

LA LONGITUDE EN MER.

INTRODUCTION.

Si l'on pouvait faire usage à bord d'un vaisseau d'un instrument assez parfait pour donner la distance et la hauteur des astres avec
la précision de quelques secondes de degré ,
ou même d'un quart ou d'un cinquième de
minute, et qu'on pût, par conséquent, avoir
aussi l'heure à une ou deux secondes de
temps près, environ, il est clair que toutes
les méthodes qu'on a imaginées jusqu'à
ce jour pour avoir la longitude au moyen
du mouvement propre de la lune, seraient toutes également bonnes. Mais comme un pareil instrument n'existe pas aujour-

d'hui, et n'existera peut-être jamais, à cause du grand obstacle qu'oppose l'agitation du vaisseau, il en résulte qu'il faut ou renoncer à la solution du problème de la longitude, ou parvenir à neutraliser et rendre nulles les erreurs dont est susceptible l'instrument dont on fait usage. C'est donc vers ce dernier but, comme unique ressource, qu'ont été dirigés tous mes efforts, et la manière dont on opère en prenant les hauteurs correspondantes, m'ayant indirectement mis un peu sur la voie, je suis parvenu, après beaucoup de méditations et de travail, à une idée heureuse, et en même temps très simple, qui, en corrigeant et annulant, sans les connaître, les erreurs dont l'instrument peut être susceptible, m'a donné le moyen d'avoir la longitude avec une exactitude inconnue sur mer jusqu'à ce jour, et souvent même avec une précision presque rigoureuse. Mais avant d'expliquer ma méthode, il est convenable, et même absolument nécessaire, que je commence par présenter ici diverses réflexions sur l'octant, et par conséquent sur le sextant, puisque ces deux instrumens sont fondés absolument sur le même principe.

En considérant l'octant d'après les prin-
cipes d'optique sur lesquels il est fondé,
on serait porté à croire qu'il doit donner
les distances angulaires avec une grande
précision; cependant il est reconnu que
cette grande précision n'existe pas dans la
pratique. On croit, en général, que l'erreur dont il est susceptible, peut aller à
une minute en plus ou en moins, dans la
mesure de la hauteur des astres. Il me semble que c'est trop, et qu'on peut obtenir
une plus grande précision en prenant toutes les précautions nécessaires, dont je
parlerai ci-après. Je ne m'arrêterai cependant point ici à rechercher les limites de
cette erreur, puisque dans la méthode que
j'emploie il m'est inutile de la connaître. Je
me borne donc à établir, comme une chose
reconnue, que l'octant peut laisser quelque erreur sur l'observation de la hauteur
des astres, et que cette erreur, bien que
petite, peut devenir trop influante dans
une observation aussi délicate que celle
de la longitude.

L'erreur qu'on peut rencontrer dans une
observation, en faisant usage de l'octant,
provient de deux causes, ou ce qui est la

même chose est formée de deux erreurs distinctes.

Premièrement, de l'erreur de l'instrument même, laquelle provient presque toujours de sa rectification.

Secondement, de celle qu'on peut commettre en observant l'instant du contact, et en lisant les degrés de l'angle sur le limbe; j'appellerai celle-ci erreur du pointé. L'erreur de l'instrument ne peut pas être reconnue par l'observation, tandis que celle du pointé peut l'être. Il s'ensuit donc que n'ayant pas de prise sur la première, il faut la rendre nulle en la compensant; et que la seconde pouvant être reconnue à bien peu de chose près, il faut la prévenir. Mais comme dans ma méthode les observations que j'emploie sont supposées exemptes, ou presque totalement exemptes, de l'erreur du pointé, il faut que je commence par indiquer la manière de la reconnaître, et ceci est d'autant plus nécessaire, que l'erreur *du pointé* étant corrigée, on a forcément la longitude; puisqu'il ne reste plus que les erreurs de l'instrument qui sont compensées et deviennent nulles par la manière de faire l'observation.

MANIÈRE

DE PRÉVENIR ET DE RECONNAITRE L'ERREUR DU POINTÉ DANS L'OBSERVATION DU SOLEIL.

C'est inutilement qu'on espérerait reconnaître cette erreur avec quelque précision, en faisant usage d'un instrument qui
ne serait pas garni d'une lunette, parce
qu'on ne distinguerait que très imparfaite-
ment le bord de l'image du soleil, et le
terme de l'horizon. Il faut donc de toute
nécessité que l'octant soit armé d'une
bonne lunette : il faut de plus, non seulement
que les traits de la division du limbe et du
vernier soient très fins, mais encore que
l'instrument soit bien divisé. Cette dernière
condition n'est pas à la vérité absolument
nécessaire pour reconnaître l'erreur du
pointé, puisqu'on peut faire cette opéra-
ration en laissant l'alidade immobile, mais
c'est qu'on ne peut compter sur rien avec
un instrument dont la division n'est pas
exacte.

La lunette peut avoir plus ou moins de
force, mais je crois qu'il est convenable

qu'elle ait un grossissement de 7 à 8 et
même de 10 à 12, ou plus si l'on veut. Il
est vrai qu'un pareil grossissement serait
nuisible dans l'observation des distances,
parce que, à cause de l'agitation de la mer,
il serait comme impossible d'amener les
deux astres dans le champ de la lunette, et
plus difficile encore de les y maintenir.
Mais ici tout est facile, puisqu'il ne s'agit
que de prendre la hauteur d'un astre, et
le mouvement du vaisseau, bien loin de
nuire à l'observation, peut au contraire la
favoriser s'il se fait dans une direction per-
pendiculaire à l'azimut de l'astre; puisque
dans ce cas il dispense de balancer l'octant
à droite et à gauche, mouvement qui,
comme on le sait, est nécessaire pour s'assurer de la bonté de l'observation, mais
qui doit cependant être lent; parce qu'autrement l'image passant trop rapidement
auprès de l'horizon, il serait difficile de
distinguer si le contact a eu lieu.

Une autre observation importante, et
plus importante qu'en général les marins
ne le croient, c'est que l'image du soleil ne
doit être ni trop vive, ni trop obscure : si
elle est trop obscure, on ne la distingue

pas assez; si elle est trop vive, elle éblouit. Et non seulement ses bords ne sont pas distincts et tranchés pour l'organe, mais il en résulte encore un autre inconvénient qui consiste en ce qu'à l'approche du contact, l'image du soleil et l'horizon se trouvant dans le champ de la lunette et très voisins l'un de l'autre; l'image, si elle est trop vive, absorbera un peu la ligne de l'horizon, qui en paraîtra moins distincte et moins tranchée. Il faut absolument, pour que l'observation puisse être précise, que la ligne de l'horizon et le bord de l'image, fassent sur l'œil la même impression, ou à bien peu de chose près : et comme les verres colorés adaptés aux octants ne peuvent servir également pour tous les yeux et pour tous les états de l'atmosphère, le mieux sera de faire usage d'un verre un peu trop clair, auquel on donnera le degré d'opacité nécessaire en le passant sur la flamme d'une lampe.

La couleur à donner au soleil, au moyen d'un verre coloré, n'est pas tout-à-fait indifférente; il faut que la couleur de cette image tranche toujours avec le fond sur lequel on la conduit; et comme la mer est d'un bleu, ou d'un vert obscur, et que le ciel est aussi ordinairement bleu ou vert, bien que d'une teinte plus légère, j'ai éprouvé qu'il y avait de l'avantage à rendre l'image du soleil jaune, au moyen d'un verre vert très clair, noirci à la lampe, et que par ce moyen on pouvait observer le contact avec plus de précision. Il faut également observer qu'il ne doit pénétrer dans la lunette, que les rayons doublement réfléchis par les deux miroirs; et comme les rayons directs du soleil, sans arriver jusqu'à l'œil, pourraient cependant entrer dans le tuyau de la lunette lorsque cet astre a peu de hauteur, et que l'œil en étant ébloui ne pourrait pas bien distinguer la ligne de l'horizon, il faudra alors couvrir l'espace qui se trouve entre le verre coloré et le petit miroir, avec un carton qui dépasse même un peu ce miroir; de manière qu'il intercepte tout rayon direct qui serait élevé au-dessus de la ligne de vision, de 8 à 10°, et même un peu plus; et par ce moyen on pourra observer le soleil lors même qu'il n'aura que 10° de hauteur sans craindre que la clarté s'introduise dans le tuyau de la lunette, et empêche d'apercevoir et de distinguer la ligne de la mer.

Les marins ne sauraient trop se persuader que tout est de conséquence dans une observation aussi délicate que celle de la longitude, et que, s'ils n'emploient des précautions minutieuses, et je dirai presque superstitieuses, les résultats ne leur donneront que des à-peu-près, qui à la fin les dégoûteront mal à propos des observations astronomiques. Voici un exemple que je crois convenable de leur citer, et dont ils pourront faire l'application dans la pratique.

J'observais, il y a quelque temps, la lune à l'*ouest* du méridien, avant le lever du soleil ; le ciel était serein, et la ligne de la mer se distinguait déjà très bien ; cependant je m'aperçus qu'en conduisant le bord éclairé de la lune sur la mer, la ligne de l'horizon s'en trouvait absorbée, et que je ne pouvais plus la distinguer avec précision, ce qui provenait de ce que l'éclat de la lune était encore un peu trop vif, et je compris qu'il fallait différer un peu l'observation ; parce que la clarté du jour allant en augmentant, tandis que l'éclat de la lune diminuait dans la même proportion, il y aurait un moment où les deux images, faisant la même impression sur l'œil, ne pourraient plus réciproquement se nuire; et c'est de cette manière que je pus le même jour observer le contact avec précision, tandis que dix minutes plus tôt, mon observation aurait été douteuse, et peut-être fausse. Voilà le remède à employer en pareil cas.

On voit, sans qu'il soit besoin de le dire, de quelle manière il aurait fallu opérer si l'observation avait eu lieu après le coucher du soleil. Mais comme il peut arriver qu'on soit dans le cas d'observer la lune à une hauteur déjà déterminée par le calcul, il serait convenable, outre les verres colorés adaptés aux octants, d'en avoir plusieurs autres de différentes nuances, mais tous d'une teinte claire, et d'ailleurs bien vérifiés : on pourrait alors, au moyen de ces verres, affaiblir au besoin l'éclat de l'image de la lune jusqu'au point nécessaire ; mais il ne faut jamais oublier qu'il est surtout très important que la ligne de l'horizon soit parfaitement visible lorsqu'on observe la hauteur de la lune, et que par conséquent il ne faut pas trop tarder après le coucher du soleil, ni trop devancer son lever.

Une autre remarque que j'ai faite, et que je ne crois point sans importance, c'est qu'on peut juger plus facilement de l'instant du contact par l'évanouissement du segment de l'image solaire qui se trouve au-dessous ou au-dessus de la ligne de l'horizon, que par le contact des bords avec cette même ligne. D'où il résulte, selon moi, que l'observation est plus sûre le matin pour le bord inférieur, et l'après-midi pour le bord supérieur ; je m'explique :

Supposons que dans la matinée je veuille observer le passage à l'horizon des bords supérieur et inférieur de l'image réfléchie du soleil, l'alidade se trouvant à tel degré de hauteur que l'on voudra, suivant le moment auquel se fait l'observation, je verrai d'abord l'image tout immergée dans la mer ; elle s'élèvera ensuite peu à peu, et l'instant où son bord supérieur sera tangent à la ligne de la mer sera celui du premier contact. Mais cet instant est un peu difficile à saisir, par la raison qu'à l'approche du contact, l'intervalle qui sépare le bord supérieur de l'image de la ligne de l'horizon, devient à la fin si petit, que l'œil, surtout s'il est un peu fatigué, ne pourra plus l'apercevoir, et il arrivera le plus souvent qu'on rapportera le phénomène à un instant qui précèdera de deux ou trois secondes celui auquel il a réellement eu lieu. Voyons s'il en sera de même de l'observation du bord inférieur.

Après le premier contact du bord supérieur de l'image, elle se trouvera divisée par l'horizon en deux segmens de couleurs différentes ; et comme l'observation se fait le matin, on verra le segment immergé ou inférieur diminuer à chaque instant, sans cesser cependant, quelque petit qu'il soit, d'être toujours distinct et visible, à cause de la différence des couleurs ; on pourra par conséquent saisir l'instant du contact, qui est celui de la disparition ou de l'évanouissement du segment immergé, sans craindre de se tromper de deux secondes, et peut-être moins, si l'horizon est bien net et que l'instrument soit armé d'une bonne lunette. On pourrait, dans certaines circonstances, faire usage à l'égard de la lune de cette manière d'observer sa hauteur ; mais ces circonstances sont bien rares.

En prenant toutes ces précautions, il sera
facile de prévenir totalement, ou du moins
approximativement, l'erreur du pointé,
c'est à dire d'observer l'instant du contact
avec beaucoup de précision; et la chose
deviendra bien plus facile encore, si on a
le soin de n'observer le soleil que lorsque
son mouvement en hauteur est assez considérable, comme, par exemple, de 8, à 9,
en une minute de temps.

J'ai fait beaucoup d'expériences à ce sujet, et j'ai reconnu qu'en faisant usage d'un
horizon artificiel, je pouvais saisir l'instant
du contact des bords du soleil, sans craindre une erreur d'une, ou tout au plus de
deux secondes, et que bien souvent j'avais
la seconde précise, tandis qu'en me servant
de l'horizon de la mer, l'incertitude pouvait
aller à une seconde de plus : et comme
j'ai fait exprès ces observations avec une lunette qui ne grossissait que quatre fois les
objets, et dans un moment où le mouvement du soleil en hauteur n'était que de
7' en une minute de temps, on peut se former une idée du degré de précision que
j'aurais obtenu, si j'avais observé le soleil
lorsque son mouvement en hauteur était

de 10', et que j'eusse employé une lunette ayant un grossissement de 7 à 8 ou même plus.

Les pilotes qui font les voyages de long cours, naviguant communément dans la zone torride ou proche des tropiques, il leur est beaucoup plus facile de prévenir l'erreur du pointé, puisqu'ils peuvent observer le soleil lorsque son mouvement en hauteur est de 13', 14' et jusqu'à 15' en une minute de temps, et que par conséquent le demi-diamètre de l'image du soleil traversant le terme de l'horizon en une minute à peu près, si on ne se trompe que de deux secondes de temps sur l'instant du contact, l'arc du segment de l'image solaire qui, suivant le cas, se trouvera au-dessus ou au-dessous de la ligne de la mer, sera de 29″, quantité trop grande pour n'être pas facilement aperçue. On voit d'après cela qu'il est bien difficile, en pareille circonstance, d'avoir sur le moment du contact une erreur ou une incertitude de deux secondes de temps, pourvu que l'horizon soit net, et que l'instrument soit armé d'une bonne lunette.

J'ai reconnu par des expériences faites

avec un octant monté sur un pied, et con-
formes d'ailleurs au résultat donné par le
calcul, que si l'on observe le soleil dans
un moment où son mouvement en hauteur est de 10′ pour une minute de
temps, il se trouvera que cinq secondes
avant ou après le contact de chaque bord
de son image avec la ligne de l'horizon,
l'arc du segment de cette image, qui, suivant les cas, se trouvera au-dessus ou au-
dessous de la ligne de la mer, sera de 40°
ou à très peu de chose près ; et comme
un arc de 40° peut facilement s'apercevoir, il me semble qu'il serait convenable, au lieu de chercher à saisir le contact des bords, de s'attacher à observer
l'instant où l'arc du segment sera de 40°,
puisqu'on saurait que le contact du bord a
eu lieu depuis cinq secondes, ou qu'il aura
lieu cinq secondes après.

Supposons que je veuille prendre la
hauteur du soleil le matin, j'observe l'instant où l'arc du segment qui se trouve au-
dessus de l'horizon est de 40°, et où la
corde de ce segment est égale, par conséquent, aux deux tiers du rayon de l'image,
ou au tiers de son diamètre, et je note

l'heure, la minute et la seconde ; mais comme je sais que dans cet instant il y a déjà cinq secondes que le contact du bord supérieur a eu lieu, je les déduis, et j'ai l'instant du contact de ce même bord.

Pareillement, pour le second bord, j'observe l'instant où l'arc du segment qui est au-dessous de l'horizon sous-tend une corde égale au tiers du diamètre de l'image ; mais comme je sais que cet instant précède de cinq secondes celui du contact du bord inférieur, j'ajoute cinq secondes pour avoir l'instant du contact de ce même bord avec l'horizon de la mer, et le milieu entre ces deux observations me donne l'instant où le centre du soleil s'est trouvé dans le cercle de hauteur marqué par l'alidade.

Il est assez facile, ce me semble, d'apercevoir et d'estimer à la vue le segment d'un cercle dont la corde est égale au tiers du diamètre ; supposons cependant qu'on puisse se tromper de deux secondes de temps sur l'estimation de ce segment.

Si l'on commet cette erreur sur l'un des bords, et que l'observation de l'autre soit juste, l'erreur sera réduite à la moitié, et on n'aura qu'une seconde d'erreur sur le passage du centre du soleil par le cercle de hauteur observé.

Si l'on se trompe également, et dans le même sens, sur l'observation des deux bords, l'erreur ne sera jamais que de deux secondes, ou soit égale au maximum de celle qu'en peut commettre sur l'observation de l'un des bords.

Enfin si l'on se trompe également sur l'observation des deux bords, mais en sens opposé, les erreurs se compenseront et deviendront nulles, c'est à dire qu'on aura l'instant du passage du centre avec autant de précision que si les deux observations étaient rigoureusement exactes; ainsi le pire sera d'avoir une incertitude de deux secondes, supposé que ce soit là, comme je crois, le maximum de l'erreur que l'œil peut commettre; mais il est probable que cette erreur sera réduite à une seconde, et peut-être à rien, si l'on a l'attention de aire ensorte que les segmens soient sensiblement égaux dans les deux observations.

On peut employer la même manière d'observer à l'égard de la lune, mais elle est un peu moins sûre; parce que ne pouvant observer qu'un de ses bords, excepté

qu'elle ne fût pleine , on n'a pas l'espoir de
voir les erreurs se compenser : quoiqu'il en
soit , je l'ai employée tant pour le soleil
que pour la lune , et il me semble que j'en
ai retiré quelque avantage; cependant je ne
fais que proposer mon idée en engageant
les marins à en faire l'épreuve. Je leur ferai
observer encore qu'en outre des segmens,
on peut, dans la même observation, ne pas
négliger de noter l'instant du contact des
bords, et de cette manière l'observation
donnerait quatre résultats, et offrirait par
conséquent plus d'espoir de voir les erreurs
se compenser.

Dans tout ce que j'ai dit jusqu'ici, je n'ai
cherché qu'à prévenir l'erreur du pointé ,
c'est à dire à empêcher qu'elle ne naisse ;
mais comme malgré toutes les précautions
possibles la vue peut nous tromper, surtout si l'œil est un peu fatigué, il est nécessaire de pouvoir reconnaître à la fin si une
observation est exempte de cette erreur ,
c'est à quoi j'ai tâché de parvenir par les
méthodes suivantes.

POUR LE SOLEIL.

Voulant prendre la hauteur du soleil, soit dans la matinée, soit après midi, j'observe plusieurs fois le contact des deux bords de l'image, avec la ligne de l'horizon, en ayant soin de noter chaque fois la minute et la seconde, ainsi que le degré du limbe sur lequel se trouvait l'alidade à chaque observation, afin de connaître le temps que l'image du soleil a employé à traverser le cercle de hauteur observé. Je calcule ensuite, relativement à la latitude du lieu et à la déclinaison du soleil, le temps que son diamètre a dû mettre à traverser les mêmes cercles de hauteur; et je rejette toutes les observations qui ne s'accordent pas avec le calcul, c'est à dire toutes celles qui donnent le temps observé entre les deux contacts, plus long ou plus court que le temps calculé, sans m'arrêter cependant à la différence d'une ou de deux secondes de temps; par la raison qu'une aussi petite quantité peut échapper dans l'observation, et que d'ailleurs le résultat peut être exact, ainsi qu'on le verra plus

bas, bien qu'il y ait une petite différence
entre les passages calculés et observés ; et
comme l'erreur de rectification de l'octant,
si elle existe , n'importe ici en rien , puisque le soleil emploie certainement autant
de temps à traverser le cercle de 30° de
hauteur , que celui de 30° 10′ , le milieu
entre les deux contacts d'une observation
reconnue bonne , donnera l'instant précis
où le centre du soleil a eu la hauteur mar-
quée par l'alidade.

On pourra peut-être objecter que si la
vue trompe , et qu'on anticipe ou qu'on
retarde de la même quantité sur l'observation de l'un et de l'autre bord , la durée
du passage de l'image solaire à travers l'horizon sera toujours la même , c'est à dire
conforme au calcul , tandis que l'instant du
passage du centre du soleil n'aura plus la
même précision , et se trouvera en erreur
de tout le temps dont on s'est trompé sur
le contact d'un des bords. Mais convenons
qu'il faudrait un hasard bien malheureux
pour qu'on se trompât ainsi dans le même
sens , et précisément de la même quantité
sur les deux observations ; car, hors ce cas
unique , l'accord entre la durée calculée et

observée du passage du soleil à travers le cercle de hauteur qu'on observe, sera non seulement une preuve de la bonté de l'opération, mais il se trouvera encore que le résultat pourra être sans erreur, bien qu'il y ait une petite différence entre l'observation et le calcul, dans la durée de ce passage. Voilà pourquoi j'ai dit plus haut qu'il ne fallait pas rejeter une observation pour une différence de une, deux, ou même trois secondes.

Si, par exemple, j'anticipe ou retarde de deux secondes sur l'observation du premier bord, et que celle du second bord soit juste, l'erreur ne sera que d'une seconde, tandis que la différence entre le calcul et l'observation sera de deux secondes.

Si j'anticipe de trois secondes sur la première observation, et que je retarde d'une seconde sur l'observation du second bord, ou *vice versa*, l'erreur ne sera que d'une seconde, tandis que la différence entre le calcul et l'observation sera de quatre secondes.

Si j'anticipe de deux secondes sur l'observation du premier bord, et que je retarde de la même quantité sur celle du

second , ou *vice versa* , l'erreur sera corrigée , mais la différence entre le calcul et
l'observation sera de quatre secondes.

Enfin si j'anticipe ou que je retarde de
la même quantité sur l'observation des
deux bords, comme, par exemple, de deux
secondes , l'erreur ne sera jamais que de
deux secondes , mais la différence entre le
calcul et l'observation sera nulle , c'est à
dire que la durée observée du passage de
l'image à travers l'horizon sera égale à la
durée calculée de ce même passage.

Si l'on fixe donc à deux et même à trois
secondes de temps le maximum de l'erreur
qu'on peut commettre sur l'observation d'un
des bords , et qu'on trouve une différence
entre l'observation et le calcul du passage
de l'image , l'erreur, dans ce cas , sera ou
totalement corrigée, ou réduite à une quantité moindre que le maximum. Si au contraire l'observation du passage est d'accord
avec le calcul, ce sera le cas le plus dou-
teux , puisqu'il est possible qu'on eût rencontré la plus grande erreur, mais il sera
possible aussi qu'on ait rencontré la plus
grande précision, d'autant mieux que c'est
à quoi l'on tendait. Il faut bien que cela

soit ainsi , puisque autrement la méthode
des hauteurs correspondantes , qui est le
fondement de l'astronomie pratique , dé-
pendrait du hasard ; et les astronomes, en
voyant l'accord de leurs observations , ne
devraient pas dire que le midi qu'ils en
concluent est exact , mais qu'ils ont rencontré ou la plus grande précision ou la
plus grande erreur possible , sans savoir
lequel des deux; tandis que les expériences
faites depuis des siècles dans tous les ob-
servatoires de l'Europe démontrent jusqu'à
l'évidence que l'accord des observations est
la preuve de leur bonté.

J'ai voulu faire aussi moi-même des expériences à ce sujet avec toute l'attention
possible, parce que c'est sur la correction
de l'erreur du pointé qu'est fondée en partie ma méthode pour trouver la longitude;
j'ai donc pris, jusqu'à me lasser, des hauteurs correspondantes en notant l'instant
du contact des deux bords du soleil avec
l'horizon sur une pendule à secondes, et
faisant usage de plusieurs octans armés de
lunettes, afin de ne pas déplacer l'alidade
pour les observations faites en un même
jour , et j'ai reconnu que toutes les fois

que l'intervalle observé entre les deux contacts de l'image était égal à l'intervalle calculé, ou qu'il n'en différait que d'une seconde, ces observations donnaient toutes
le même moment de midi, c'est à dire la
même avance ou le même retard de ma
pendule à une ou deux secondes près, et
que de plus, l'heure que, d'après ces observations, ma pendule devait marquer à
midi vrai, était celle qu'elle marquait effec-
tivement, d'après une méridienne horizontale qui a un gnomon de 8 pieds, et que je
crois très exacte; d'où je conclus qu'il est
hors de probabilité qu'il puisse rester une
erreur de quelque importance sur une observation qui a été reconnue pour bonne
de la manière que je l'ai dit ci-dessus. Il
est vrai qu'en ne faisant qu'une seule observation, il ne serait pas impossible
qu'on pût rencontrer le cas où l'on aurait
la plus grande précision ou la plus grande
erreur, mais cela ne saurait avoir lieu si
on en fait plusieurs; et c'est une précaution qu'il ne faut jamais négliger. Voici une
autre manière de vérifier une observation
qui n'exige aucun calcul, et qui est d'ailleurs très expéditive.

Voulant prendre la hauteur du soleil soit le matin ou l'après-midi ; je mets l'alidade exactement sur une division de l'instrument afin de n'avoir pas besoin de faire usage du vernier, et je note l'instant où l'un des bords du soleil a été en contact avec l'horizon. Je pousse ensuite l'alidade en avant, ou je la retire en arrière d'une division entière de l'octant, ou soit de 20′, suivant que l'opération se fait le matin, ou le soir, notant encore le contact du même bord; et je continue ainsi jusqu'à ce que j'aie pris cinq ou six hauteurs du même bord du soleil. Ayant alors cinq ou six observations qui diffèrent entr'elles de la même quantité ou soit de 20′ de degré, il faut nécessairement que les intervalles en temps soient aussi égaux ; et par là j'ai le moyen de reconnaître et de rejeter celles qui sont douteuses ou inexactes.

J'ai également employé souvent une autre manière de vérifier une observation ; voici sur quoi elle est fondée.

Si pour une latitude quelconque, comme par exemple celle de Raguse, et pour une longitude 14° orientale de Paris, je calcule pour un jour donné, tel que le 1er octobre

1828, quelle sera la hauteur du soleil à
4^h, 0^m; 4^h, 2^m; 4^h, 4^m; 4^h, 6^m; etc., et que
je fasse ensuite le même calcul pour les
mêmes instans, et pour les longitudes
de $15°$, $16°$, $17°$; il se trouvera que les hauteurs seront un peu différentes, ce qui
doit être, mais que les différences entre
ces mêmes hauteurs seront égales à quelques secondes près, tant pour les divers
instans que pour les diverses longitudes
pour lesquelles on a fait le calcul. On voit
donc que l'on peut connaître par là si une
observation est bien faite.

Par exemple, si un pilote se trouvant
par la latitude $42° 38' 20''$ nord, et, d'après
son estime, par la longitude $15°$, $16°$ ou
$17°$ orientale de Paris, observe le soleil le
1er octobre 1828, depuis 4^h jusqu'à $4^h 12^m$
environ après midi, en mettant entre les
observations un intervalle de deux minutes;
et que la différence entre les hauteurs soit
de $20' 15''$, ou à proportion si l'intervalle
en temps a été un peu plus ou un peu
moins long, il saura par là que les observations sont bien faites, et pourra par
conséquent reconnaître au besoin celles
qui seront inexactes. L'erreur sur l'estime

en longitude ne fait rien ici , puisque les
différences sont les mêmes pour diverses
longitudes distantes de quelques degrés ;
l'erreur sur l'heure ne fait rien non plus, car
elle ne peut jamais être que peu de chose, et
l'on a vu que les différences sont les mêmes
pour divers instans ; et enfin l'erreur de
l'instrument, si elle existe, devient également
nulle , puisqu'elle rentre dans celle de la
montre, et qu'elle ne saurait faire sur l'heure
une différence de demi-minute. Il est,
je crois , utile que je dise que par observation exacte, je n'entends point une observation qui donne la hauteur exacte et
précise; mais seulement celle qui est
exempte de l'erreur du pointé : car mon
but, dans tout ce que je viens de dire, dans
les deux manières de vérification données
ci-dessus , n'est que de prévenir et reconnaître, autant qu'il est possible, cette erreur, sans m'occuper de celle de l'instrument, qui comme on le verra ensuite , se
trouvera corrigée par la manière d'observer : et comme il est toujours avanta-
geux de multiplier les méthodes , j'en joins
encore une ici, qui n'est relative qu'au soleil, et qui a de plus l'avantage de montrer

qu'il n'est pas aussi difficile qu'on pourrait le croire, de faire une observation qui soit exempte de l'erreur de l'œil, ou du pointé.

Supposons que je veuille un jour quelconque observer le soleil soit le matin, ou l'après-midi; je prends de suite, et à de petits intervalles, la hauteur d'un de ses bords, et je note l'instant de chaque observation. Je fais ensuite le calcul de l'heure pour chaque hauteur observée; si les résultats s'accordent à une ou deux secondes de temps, c'est à dire si l'avance ou le retard de la montre, résultant d'une observation, est le même pour toutes les autres, je regarde ces observations comme exemptes de l'erreur du pointé : ne comptant pour rien le cas improbable et presque idéal, où j'aurais anticipé ou retardé toujours également et toujours dans le même sens sur l'instant du contact de chaque observation. J'ai employé très fréquemment cette manière d'observer le soleil, et le résultat qui assez souvent m'a étonné par sa précision, m'a au moins prouvé, qu'en général, il n'était pas bien difficile de faire une observation qui fût exempte de l'erreur du pointé.

Les manières d'observer que j'ai indi-
quées ci-dessus, sont, à quelques différences près, applicables à la lune comme
au soleil. Par exemple, si la lune est pleine,
on pourra faire usage de la première, en
observant le contact des deux bords de
son image; et dans tout autre cas, on pourra
faire usage, non de la dernière qui n'est
applicable qu'au soleil, mais de la seconde,
et surtout de la troisième qui me paraît
préférable, et qui exige que je m'y arrête
un instant.

Si pour la latitude 42° 38' 20" nord qui
est celle de Raguse, et pour les longitudes
15° 45', 16° 45' et 17° 45' orientales de Paris, on calcule quelle a été, le 19 mars 1828,
la hauteur vraie du centre de la lune, à
$7^h 18^m 58^s$ et à $7^h 24^m 58^s$ du soir, on trouvera que :

Pour la longitude de 15° 45'

A $7^h 18^m 58^s$ la hauteur est. . .   29° 53' 22".
A 7 24 58. . . . . : . . .   29 50 10.
—————————————————————
Différence. . . . .   3' 12".

Pour la longitude de 16° 45'

A $7^h 18^m 58^s$ la hauteur est. . .   29° 51' 35"
A 7 24 58. . . . .   29 48 23.
Différence. . . . .   3' 12".

Pour la longitude de 17° 45'

A 7ʰ 18ᵐ 58ˢ la hauteur est . . .   29° 49' 48".
A 7 24 58. . . . .   29 46 36.

Différence. . . . .   3' 12".

On voit donc que, soit qu'on se trouve par la longitude 15° 45', 16° 45', ou 17° 45', la différence de hauteur entre deux observations de la lune, faites vers 7ʰ 20ᵐ du soir, et distantes l'une de l'autre de 6ᵐ, a dû être, le 19 mars 1828, de 3' 12" à la latitude de 42° 38' 20" nord; et qu'un pilote a par là un moyen de vérifier si une observation est bonne. Il suffit en effet qu'il calcule, d'après sa latitude et sa longitude d'estime, quelle sera la hauteur de la lune à deux momens différens auxquels il jugera pouvoir observer cet astre. Il connaîtra par là la différence entre ces hauteurs, qui comme on le voit sera la même, soit que son point d'estime en longitude se trouve faux de trois ou quatre degrés, ou non; et si faisant ses observations aux momens pour lesquels il a fait le calcul, il trouve que les différences entre les hauteurs observées sont égales aux différences calculées, il pourra en conclure

que ses observations sont bonnes, c'est à
dire exemptes de l'erreur du pointé.

Au lieu de faire le calcul pour deux observations seulement, comme je l'ait fait
ici, il vaudrait mieux le faire pour un plus
grand nombre, comme pour quatre ou
cinq, distantes de 3' l'une de l'autre; c'est
de cette manière que, le 19 mars, j'ai
choisi et tenu pour bonne une observation
de la lune, qui m'a donné la longitude de
Raguse, de 1^h 3^m 4^s, c'est à dire précisément à la seconde, telle qu'elle est
notée dans la Connaissance des Temps. Il
est vrai que ces calculs sont un peu longs;
mais une fois le premier fait, les autres
deviennent plus faciles. On peut d'ailleurs
les préparer à l'avance.

Je ne me suis point arrêté sur l'erreur
que l'on peut commettre en lisant les degrés de l'angle sur le limbe, attendu que
cette erreur ne peut jamais être que très
peu de chose, et qu'on peut même la regarder comme négligeable, en se servant
des sextans qu'on fait aujourd'hui, parce
qu'ils sont si bien divisés, et que les traits
de la division sont si fins qu'on ne peut
guère se tromper de dix secondes de de-

gré; et quand même on aurait une pareille ɛ
erreur, elle ne ferait qu'une seconde environ sur le temps. Je passe donc à l'explication de ma méthode pour trouver la
longitude en mer.

MANIÈRE

DE TROUVER LA LONGITUDE EN MER, AU MOYEN DE LA HAUTEUR DU SOLEIL ET DE LA LUNE, EN SUPPOSANT MÊME CES HAUTEURS INEXACTES.

Depuis qu'on cherche à tirer parti du
mouvement propre de la lune pour trouver la longitude en mer, on n'a pas oublié
la méthode des angles horaires, qu'on a
abandonnée ensuite comme insuffisante;
ainsi celle que je donne aujourd'hui n'est
pas nouvelle, puisqu'elle se réduit à trouver l'ascension droite de la lune par l'observation de sa hauteur. Mais ce qui est
nouveau, c'est l'idée que j'ai eue de rendre
nulles, sans les connaître, les erreurs de
l'instrument, tant pour le soleil que pour
la lune, et de pouvoir ainsi avoir la longitude avec une précision bien supérieure à
celle que l'on obtient par les méthodes
que les marins emploient.

On peut, dans la méthode dont je vais donner l'explication, rencontrer plusieurs cas ; on doit donc suivant les circonstances, employer une manière d'observer différente.

Premièrement. On pourra observer le soleil et la lune du même côté du méridien, et alors la hauteur des deux astres devra être prise avec le même octant, sans changer sa rectification. Par ce moyen, si la rectification n'est pas exacte, et que l'instrument donne par conséquent les angles trop grands ou trop petits, cela ne nuira en rien au résultat, puisque les erreurs se compenseront.

Secondement. Bien qu'on observe le soleil et la lune du même côté du méridien, il pourra pourtant arriver que, dans le moment où on observera la lune à l'*est*, le soleil se trouvera à l'*ouest* ; l'observation de cet astre ayant eu lieu plusieurs heures avant celle de la lune. Dans ce cas, il faudra encore, comme ci-dessus et par les mêmes raisons, se servir du même instrument pour les deux astres, sans changer sa rectification.

Troisièmement. On pourra, dans certaines

circonstances, faire l'observation double, c'est à dire observer la lune à l'*est* et à l'*ouest* du méridien, comme également observer le soleil à l'*est* et à l'*ouest* du méridien. Dans ce cas les observations de la lune devront être faites avec le même instrument sans changer sa rectification, et les deux observations du soleil, avec un autre octant, sans changer aussi sa rectification.

PREMIER CAS, OU PREMIÈRE MANIÈRE.

Cette première manière exige, ainsi que je l'ai déjà dit, qu'on observe le soleil et la lune du même côté du méridien, et avec le même octant, en ayant soin de le garantir de tout choc qui pourrait changer sa rectification; car ce qui importe le plus ici, n'est pas que cette rectification soit exacte, mais que, si elle ne l'est pas, elle soit également fausse dans les deux observations du soleil et de la lune.

Pour plus de facilité dans l'explication de ma méthode, je vais citer pour exemple une observation faite le 20 mars 1828, à Raguse, dont la latitude est 42° 38′ 20″ nord, et dont la longitude qui est de $1^h 3^m 12^s$ en-

viron, orientale de Paris, est supposée n'ê-
tre connue qu'à 3 ou 4 degrés près.

Observation du 20 mars 1828.

Le 19 mars, à midi vrai, ma
    pendule avançait de. . .   34 secondes.
Le 20 mars, à midi vrai,
    elle avançait de   6
       Différence en retard,
  en 24 heures . . . . . . 28 secondes.

D'où l'on voit que du midi vrai du 19,
au midi vrai du 20, ma pendule a retardé
de 28″, et que par conséquent en 24^h de
temps vrai elle ne parcourt que 23^h 59^m 32^s.

Il m'importe peu de connaître l'état de
la pendule puisque je l'obtiendrai de l'observation du soleil, mais il m'est nécessaire
de connaître sa marche, et c'est pour cela
que j'ai reconnu son état le 19 et le 20, à
midi vrai.

Voulant donc observer la hauteur de la
lune le 20 mars, après le coucher du soleil, je réfléchis d'abord que le moment le
plus favorable pour cette observation était
celui de 6^h 20^m à peu près, du soir, parce
que la clarté du jour étant alors un peu

affaiblie, celle de la lune en devient plus sensible, et qu'on peut distinguer parfaitement encore la ligne de l'horizon. Je calculai donc d'après la latitude connue et la longitude à peu près connue, quelle serait à peu de chose près la hauteur vraie du centre de la lune, à 6^h 23^m du soir ; et ayant trouvé que cette hauteur serait de $49°$ $19'$, je calculai encore quel serait, eu égard à sa déclinaison, le mouvement de la lune en hauteur, lorsque sa hauteur serait de $49°$ $19'$, ou, ce qui est la même chose, combien une différence donnée sur sa hauteur, comme 1, 2 ou 3 minutes, ferait changer son angle horaire.

Après avoir fait ce calcul, je cherchai encore quelle était la hauteur à laquelle je devais observer le soleil, afin que la même différence sur sa hauteur influât sur son angle horaire autant qu'elle influait sur celui de la lune. Je trouvai que cette hauteur devait être de $26°$ $36'$ environ, et que par conséquent je devais observer le soleil à 3 heures 30 minutes après midi, à peu près. Par ce moyen, j'étais sûr que si l'octant n'était pas bien rectifié, et qu'il donnât la hauteur des astres trop

grande ou trop petite, cette différence in-
fluerait également, et dans le même sens,
tant sur l'angle horaire du soleil que sur
celui de la lune, et que par conséquent la
différence d'ascension droite des deux astres
et l'ascension droite de la lune, seraient
trouvées avec autant de précision que si les
deux angles horaires étaient exacts.

Ayant ainsi fait d'avance ces calculs pré-
liminaires qui devaient servir à me diri-
ger, je préparai l'octant avec lequel je devais observer le soleil et la lune, c'est à dire
que je le rectifiai. Mais comme la rectification de l'instrument est, d'après la méthode que j'emploie, une chose assez indifférente, et que c'est là précisément ce que
je voulais vérifier et prouver par l'observation, je cherchai, non à le bien rectifier,
mais à faire en sorte qu'il donnât la hauteur trop grande de 3 minutes. Je ne puis à
la vérité être assuré d'y être parvenu, puisque si je pouvais donner à mon octant telle
rectification fausse qu'il me plairait, il est
clair que je pourrais la lui donner juste;
mais j'ai pris tant de précautions que j'ai
lieu de présumer qu'il donnait en effet les
angles trop grands de 3 minutes. Cet oc-

tant a quatorze pouces de rayon, il est
garni d'une lunette qui grossit environ six
fois les objets, et son vernier donnant les
secondes de 30 en 30, on peut estimer les
quarts de minute; et comme pour le rectifier sur le disque du soleil je devais faire
usage de deux verres colorés, et les ôter
ensuite pour observer la lune, j'eus soin
de n'employer que deux verres d'une teinte
verte fort légère, auxquels je donnai le
degré d'opacité nécessaire en les noircissant
à la flamme d'une lampe. Ces verres, à
cause de leur clarté avant qu'ils fussent
enfumés, pouvaient être vérifiés avec autant de facilité et de précision qu'un miroir; assuré par là du parallélisme de leur
surface, je pouvais les supprimer pour
l'observation de la lune, sans craindre que
la rectification que j'avais donnée à l'octant
en fût altérée.

Observation du soleil.

Sachant que je devais observer le soleil
lorsqu'il aurait 26° 36′ de hauteur à peu
près, c'est à dire vers 3^h 30^m après midi,
je commençai vers 3^h 20^m, à observer

successivement le contact des bords inférieur et supérieur, avec l'horizon de la
mer, en notant la minute et la seconde de
chaque observation; et ayant reconnu celles
qui étaient exemptes, ou à bien peu de
chose près, de l'erreur du pointé, j'en
conclus qu'à 3^h 30^m 3^s de la montre la
hauteur vraie du centre du soleil purgée de
tout, avait été de $26°$ $38'$ $54''$, ce qui me
donna, pour l'angle horaire du soleil, $52°$
$25'$ $24''$, et par conséquent pour l'heure
vraie de l'observation, 3^h 29^m 41^s et demie
après midi; et je notai qu'elle avait eu
lieu à 3^h 30^m 3^s de la montre, de laquelle
il m'est inutile de connaître l'avance ou le
retard. Mais je dois observer que cette dé-
termination de l'heure vraie de l'observation, ne saurait être exacte, soit parce que
dans la méthode que j'emploie je n'ai nul
besoin de chercher à bien rectifier l'octant,
soit parce que, dans le cas présent, je me
suis attaché au contraire à le mal rectifier;
mais néanmoins cette heure de 3^h 29^m 41^s
et demie que je viens de déduire de la hauteur du soleil, est celle que je dois tenir
pour bonne, tellement que si j'en em-
ployais une autre plus exacte, connue d'une

autre manière, je gâterais tout; puisque
la lune devant être observée avec le même
instrument et la même rectification, si
l'angle horaire du soleil est trouvé trop
grand ou trop petit, l'angle horaire de la
lune sera également trouvé trop grand ou
trop petit de la même quantité, et par
conséquent la différence d'ascension droite
des deux astres, qui est ce que l'on cherche, et dont tout dépend, sera aussi exacte
que si les deux angles horaires étaient sans
erreur; ainsi je note que l'observation du
soleil a eu lieu à 3^h 29^m 41^s et demie,
temps vrai à Raguse.

Observation de la lune.

Ayant jugé que je devais observer la
lune vers 6^h 20^m du soir, je commençai un
peu avant 6^h 15^m à prendre, à de petits intervalles, plusieurs hauteurs du bord inférieur et éclairé de la lune, et j'en déduisis par un milieu entre trois observations jugées bonnes, qu'à 6^h 22^m 58^s
de la montre la hauteur vraie

du centre de la lune purgée
de tout, avait été de...... 49° 21′ 48″
et sa distance vraie au zénith
de... .... 40° 38′ 12

Détermination de l'heure vraie de l'observation de la lune.

L'observation de la lune a eu lieu à 6ʰ 22ᵐ 58ˢ de la montre ; celle du soleil a eu lieu à 3ʰ 30ᵐ 3ˢ de la montre : ce qui fait un intervalle de 2ʰ 52ᵐ 55ˢ qui, d'après la marche de la montre, qui est de 23ʰ 59ᵐ 32ˢ pour 24 heures de temps vrai, font 2ʰ 52ᵐ 59ˢ de temps vrai. Ainsi l'observation de la lune a eu lieu à 2ʰ 52ᵐ 59ˢ après celle du soleil ; et puisque l'observation du soleil a eu lieu 3ʰ 29ᵐ 41ˢ 1/2, ajoutant 2ʰ 52ᵐ 59ˢ à cette quantité, on a 6ʰ 22ᵐ 40ˢ 1/2 pour le temps vrai de l'observation de la lune. Je répète encore ici, que bien que cette heure puisse n'être pas exacte, et qu'elle ne le soit pas dans le cas présent pour les raisons dites ci-dessus au sujet du soleil, il faut pourtant la tenir pour bonne sous peine de tout gâter ; ainsi je note que l'observation de la lune a eu lieu à $6^h\,22^m\,41^s$ 1/2 du soir, temps vrai à Raguse.

CALCUL DE LA LONGITUDE.

Le 20 mars 1828, à 6 h. 22 m. 40 s. 1/2 du soir, la hauteur vraie du centre de la lune a été trouvée de   49° 21' 48"
Et sa distance au zénith de. . . . .   40° 38' 12"

L'observateur qui est à Raguse ignore sa longitude, et comme d'après son estime il se croit par 18° ou 1 h. 12 m. de longitude orientale de Paris, il réduit d'après cette estime les 6 h. 22 m. 40 s. 1/2, moment de son observation, en temps de Paris, et il a pour temps de Paris correspondant 5 h. 10 m. 40 s. 1/2.

Déclinaison ☾ à 5 h. 10 m. 40 s. 1/2 de Paris, 17° 16' 43" nord, distance au pôle. . . . .   72° 43' 17"
Ascension droite ☉ à 5h. 10 m. 40 s. 1/2 de Paris, 0° 5' 27", distance à l'équinoxe.   359° 54' 33"
Angle horaire ☉ à 6 h. 22 m. 40 s. 1/2 du soir.. . . . . :. . . . . .   95° 40' 8"

Avec la distance ☾ au zénith 40° 38' 12", sa distance au pôle 72° 43' 17", et le complément de la latitude 47° 21' 40", on trouve l'angle horaire ☾ à l'ouest de. . .   37° 26' 57"

Angle horaire ☉ . . . . :   95° 40' 8"
— Angle horaire ☾.. . . . .   37° 26' 57"

On a la différence ascension ☉ et ☾.. . .   58° 13' 11"
+ Ascension droite ☉.. . . . .   5' 27"

Ascension droite ☾.. . . . .   58° 18' 38"

Lorsque l'ascension droite ☾ est de 58° 18' 38", il est à Paris 5 h. 20 m. 9 s. du soir.

Jusqu'ici tout est exact; et bien que l'octant dont je me suis servi fût à dessein mal rectifié, l'ascension droite de la lune 58° 18′ 38″ n'en est pas moins celle qu'elle avait dans le moment où elle a été observée; mais à présent il faut savoir, avec autant de précision qu'il est possible, quelle heure il était véritablement à Raguse au moment de cette observation. Je vois, à ce sujet, que l'heure de 6^h 22^m 40^s 1/2 n'est pas exacte ainsi que je l'ai dit, et c'est cependant celle qu'on doit employer dans le calcul pour avoir la différence d'ascension droite entre le soleil et la lune. Mais à la fin, et lorsqu'il s'agit de comparer l'heure de l'observation de la lune avec l'heure qu'il est à Paris lorsque la lune a l'ascension droite trouvée par le calcul, cette heure, un peu fausse par les raisons que j'ai dites ci-dessus, étant à la fin introduite dans le calcul, pourrait faire naître alors seulement une petite erreur sur la longitude; et, bien que cette erreur ne pût jamais être que peu de chose, parce qu'elle n'entre pas dans l'angle horaire employé dans le calcul, il vaut pourtant mieux chercher à la prévenir;

3

et pour cela il faudra, outre l'octant qui
a servi à observer le soleil et la lune, et
que j'ai supposé mal rectifié sans qu'il
pût en résulter aucun inconvénient, en
avoir encore un autre que l'on rectifiera
avec toute l'attention possible, et avec lequel on prendra des hauteurs absolues du
soleil pour connaître l'heure vraie à laquelle on a observé la hauteur de la lune.
C'est ainsi que j'en ai usé dans la présente observation, et j'ai trouvé que, dans
le moment où la lune avait eu 49° 21' 48"
de hauteur vraie, il était à Raguse 6ʰ 23ᵐ
du soir temps vrai. Ainsi je reprends le
calcul en disant :

Lorsque la lune a 58° 18'
38" d'ascension droite, il est
à Paris 5ʰ 20ᵐ 9ˢ .... 5^h 20^m 9^s
il est alors à Raguse....... 6^h 23^m 0^s
donc, pour le premier cal-
cul, longitude de Raguse
orientale de Paris......... 1^h 2^m 51^s

OBSERVATION.

Le pilote ne doit tenir pour bon son
premier calcul, qu'autant qu'il lui donne

la même longitude, que le point d'estime qu'il a employé et sur lequel il l'a établi. Dans tout autre cas, il doit en faire un second, prenant pour point d'estime la longitude trouvée par le calcul précédent, et ainsi de suite jusqu'à ce que le résultat devienne stationnaire, c'est à dire que deux calculs consécutifs donnent la même longitude à 2 ou 3' de temps près, et alors il sera sûr d'avoir atteint la longitude la plus rapprochée et la plus exacte que puisse comporter la bonté de son observation : c'est à dire que si l'observation ne péche en rien, la longitude trouvée sera précise et exacte; et si au contraire elle péche en quelque point, il en résultera une petite erreur sur la longitude, laquelle, attendu les compensations que fournit la méthode que j'emploie, ne pourra provenir que du pointé, et ne sera par conséquent jamais considérable.

SECOND CALCUL DU PILOTE.

Le pilote, dans ce second calcul, doit prendre, pour point d'estime, la longitude

trouvée par le calcul précédent, de 1^h 2^m
51^s orientale de Paris.

Ainsi de l'heure de l'observation de la lune 6^h 22^m 40^s 1/2
Ôtant la différence de longitude ci-dessus 1^h 2^m 51^s

Reste temps de Paris correspondant à
l'observation de la lune. . . . . 5^h 19^m 49^s 1/2

Déclinaison ☾ à 5 h. 19 m. 49 s. 1/2 de Paris, 17° 17′ 21″
nord, distance polaire. . . . . 72° 42′ 39″
Ascension droite ☉ idem. . . . .   0″ 5′ 48″
Angle horaire ☉ à 6 h. 22 m. 40 s. 1/2 du
soir. . . . . 95° 40′ 8″

Avec la distance ☾ au zénith 40° 38′ 12″, sa distance au
pôle 72° 42′ 39″, et le complément latitude 47° 21′ 40″, on
trouve l'angle horaire de la lune à l'ouest de 37° 27′ 39″

Angle horaire ☉ . . . . 95° 40′ 8″
— Angle horaire ☾ . . . . 37° 27′ 39″

On a la différence ascension ☉ et ☾ . . . . 58′ 12′ 29″
+ Ascension droite ☉ . . . .   5′ 48″

Ascension droite ☾ . . . . 58° 18′ 17″

Lorsque l'ascension droite ☾ est de 58°
18′ 17″, il est à Paris. . . . . 5^h 19^m 30^s
Il est alors à Raguse. . . . . 6^h 23^m 0^s

Donc longitude de Raguse orientale de Paris. 1^h 3^m 30^s

Le pilote voit, d'après ce calcul, que
s'il en faisait un troisième, il aurait la
même longitude à 1^s près, et que par conséquent il devient inutile qu'il le fasse, et
cela est évident, puisque des élémens qui

entrent dans le calcul de l'angle horaire de
la lune, dont tout dépend, il n'y aurait que
sa distance au pôle de changée de 2^s, et que
sa distance au zénith, et le complément
de la latitude, seraient les mêmes. Ainsi il
s'arrêtera au second calcul, et tiendra pour
bonne la longitude trouvée de 1^h 3^m 30^s ;
et comme cette longitude est, à ce que je
crois, de 1^h 3^m 12^s environ, on voit que
ma méthode a bien compensé et corrigé
l'erreur de l'instrument, malgré que cette
erreur fût considérable, puisque j'avais
cherché à le rectifier de manière à ce qu'il
donnât les angles trop grands de 3$'$; ce qui
aurait dû donner, sur la longitude, une
erreur d'un degré et demi environ, ou
soit 6$'$ de temps, tandis qu'elle n'est que
de 18^s, c'est à dire un vingtième de ce
qu'elle aurait été sans la correction opérée
par ma méthode. J'examinerai ensuite quel
est le degré de précision qu'on peut en
attendre dans tous les cas ; mais, auparavant, il est nécessaire que je prouve que
le résultat aurait été le même, et qu'on aurait eu la même longitude, si le pilote,
au lieu de se croire d'après son estime trop
à l'*est*, comme par 18° de longitude orien-

tale de Paris, il se fût au contraire cru
trop à l'*ouest*, comme, par exemple, par
12° de longitude orientale.

Le 20 mars 1828, un pilote qui se trouve
par 42° 38′ 20″ de latitude nord, et qui
d'après son estime se croit à 12° de longitude orientale de Paris, a observé à 6ʰ 22ᵐ
40ˢ 1/2 du soir sa hauteur vraie du centre de
la lune, dont il veut déduire la longitude :
sa montre a été réglée le même jour à 3ʰ
30ᵐ après midi, au moyen de la hauteur du
soleil prise avec le même octant qui lui a
servi à observer la hauteur de la lune.

L'observation de la lune a eu lieu à 6 h. 22 m. 40 s. 1/2,
qui, d'après l'estime de 12° de longitude orientale de Paris,
font temps de Paris, 5 h. 34 m. 40 s. 1/2 de Paris.

Déclinaison ☾ à 5 h. 34 m. 40 s. 1/2 du soir, à Paris,
17° 18′ 24″ nord, distance polaire. . . . . . 72° 41′ 36″

Ascension droite ☉ idem. . . . . 0° 6′ 21″

Angle horaire ☉ à 6 h. 22 m. 40 s. 1/2. . 95° 40′ 8″

Avec la distance ☾ au zénith 40° 38′ 12″; sa distance au
pôle 72° 41′ 36″, et le complément de la latitude 47° 21′ 40″,
on trouve son angle horaire à l'ouest de 37° 28′ 49″.

Angle horaire ☉. . . . . 95° 40′ 8″

— angle horaire ☾. . . . . 37° 28′ 49″

Différence, ascension droite ☉ et ☾. . . . 58° 11′ 19″

+ Ascension droite ☉ . . . . 0° 6′ 21″

Ascension droite ☾. . . . . 58° 17′ 40″

Lorsque l'ascension droite ☾ est de 58° 17′

40", il est à Paris.	5^h 18	22^s
Il est alors à Raguse.	6^h 23^m	0^s

Donc, longitude de Raguse orientale de Paris. 1^h 4^m 38^s

SECOND CALCUL DU PILOTE, SELON L'ESTIME DE 1^h 4^m 38^s ORIENTALE DE PARIS.

D'après cette estime, les 6 h. 22 m. 40 s. 1/2, temps de l'observation ☽, font à Paris. . . . . 5^h 18^m 2^s 1/2

Déclinaison ☽ à 5 h. 18 m. 2 s. 1/2 de
Paris, 17° 17' 14", distance polaire. . . . . . $72°$ $42'$ $46"$
Ascension droite ☉, idem. . . . . $0°$ $5'$ $44"$
Angle horaire ☉ à 6 h. 22 m. 40 s. 1/2. . $95°$ $40'$ $8"$

Avec la distance ☽ au zénith 40° 33' 12"; sa distance au pôle 72° 42' 46", et le complément de latitude 47° 21' 40"; je trouve son angle horaire à l'*ouest*, de 37° 27' 30".

Angle horaire ☉ à l'ouest. . . . . : . . $95°$ $40'$ $8"$
— Angle horaire ☽. . . . . $37°$ $27'$ $30"$

On a la différence, ascension droite, ☉ et ☽. $58°$ $12'$ $38"$
+ Ascension droite ☉. . . . . $0°$ $5'$ $44"$

Ascension droite ☽. . . . . $58°$ $18'$ $22"$

Lorsque l'ascension droite ☽ est de 58° 18' 22", il est à Paris. . . . . 5^h 19^m 40^s
Il est alors à Raguse. . . . . 6^h 23^m 0^s

Donc, longitude de Raguse, orientale de Paris. 1^h 3^m 20^s

Le pilote voyant clairement qu'un troisième calcul ne ferait varier sa longitude que de quelques secondes, pourrait fort bien s'arrèter ici, car en continuant il aurait en définitive la longitude de 1ʰ 3ᵐ 24ˢ, après quoi le résultat deviendrait stationnaire.

On voit donc que, soit que l'estime se trouve trop à l'*est* ou trop à l'*ouest*, les calculs rétrogradent toujours en sens contraire ou l'un vers l'autre, et donnent par leur rencontre la longitude du lieu où l'on se trouve avec une exactitude proportionnée à celle avec laquelle on a observé le soleil et la lune, d'où il résulte qu'en employant, comme je l'ai fait, une méthode qui compense et rende nulle l'erreur de l'instrument, on obtient forcément la longitude avec une précision étonnante, pourvu toutefois qu'on ait eu l'attention de prévenir autant que possible l'erreur du pointé, car c'est ici la *seule et unique* erreur que l'on puisse avoir à craindre.

EXAMEN

DU DEGRÉ DE PRÉCISION QU'ON PEUT ATTENDRE DANS TOUS LES CAS DE LA MÉTHODE CI-DESSUS.

On détermine l'heure ou l'angle horaire du soleil par le moyen de sa hauteur observée, et on détermine également l'angle

horaire de la lune par le moyen de sa hauteur, et comme ces deux observations se
font avec le même instrument et dans des
circonstances où l'erreur dont il peut être
susceptible influe également et dans le
même sens sur les deux angles horaires, il
en résulte que leur rapport ou différence,
qui est ce que l'on cherche, n'en est point
altéré, et que l'erreur de l'octant, si elle
existe, devient nulle et comme non existante, lorsque les astres sont comme ici
observés du même côté du méridien.

Pour trouver la longitude par la méthode que j'indique, il faut avoir l'ascension droite de la lune, et pour avoir son
ascension droite, il faut connaître la différence d'ascension entre le soleil et la lune,
laquelle n'est autre chose que la différence
des angles horaires des deux astres lorsqu'ils
sont du même côté du méridien, et qui
serait leur somme s'ils se trouvaient l'un à
l'*est* et l'autre à l'*ouest* du cercle.

Ainsi, si les deux angles horaires sont
exacts, leur différence sera exacte aussi,
et on aura leur différence d'ascension
précise.

Si les deux angles horaires sont inexacts,

mais inégalement, leur différence sera inexacte, et leur différence d'ascension aussi.

Finalement, si les deux angles horaires sont inexacts, mais également et dans le même sens, leur différence, et par conséquent la différence d'ascension, sera aussi exacte que si les deux angles horaires étaient absolument sans erreur, pourvu toutefois, je le répète, que les astres se trouvent du même côté du méridien : tout ceci n'a pas besoin d'être démontré. Il en résulte que puisque l'erreur de l'instrument, si elle existe, influe également sur les deux angles horaires, et qu'elle les rend tous les deux trop grands ou trop petits de la même quantité, elle n'altère pas leur rapport, et que par conséquent l'erreur de l'octant devient nulle et comme non existante.

J'ai indiqué la manière de reconnaître et de prévenir autant que possible l'erreur que j'appelle du pointé; mais dans le cas où il existerait quelque reste d'erreur à ce sujet, on conviendra, je l'espère, que d'après les précautions que je prends elle ne pourra jamais être considérable, et

d'ailleurs si l'on fait plusieurs observations,
il est plus que probable qu'elle sera tantôt
en plus et tantôt en moins, et que par
conséquent elle deviendra nulle. Le moyen
le plus sûr est donc de faire plusieurs observations tant du soleil que de la lune,
et c'est d'autant plus convenable, que si
par une fatalité à laquelle on ne doit pas
s'attendre, l'erreur est toujours dans le
même sens, le mal n'en sera pas augmenté
pour cela, et que si comme il est plus vrai-
semblable elle est en sens contraire, le
mal sera corrigé ou au moins diminué.

Il me reste à prévenir une objection
qu'on pourrait peut-être faire relativement à la montre; en effet, il est possible
qu'on dise que puisque je n'observe pas la
lune en même temps, ou à très peu près
que le soleil, j'ai à craindre l'irrégularité
dont la montre peut être susceptible pendant le temps qui s'écoule entre l'observation du soleil et celle de la lune, lequel,
dans l'exemple présent, est de $2^h 53^m$. Mais
sans m'arrêter, sur ce point, à faire observer
que cet intervalle sera souvent plus court,
et que j'aurais pu même le rendre moindre ici, je demanderai s'il est impossible

de trouver une montre à secondes qui soit assez exacte pour n'avoir pas à craindre dans l'espace de quelques heures, un écart inattendu qui mérite quelqu'attention ? On observera que je n'exige pas que cette montre garde exactement l'heure, car cela est fort inutile ; je demande seulement qu'elle n'aille pas par bonds et par sauts, avançant ou retardant alternativement ; et que, dans l'espace d'une journée, sa marche soit uniforme, de manière que si en 24^h elle avance ou retarde de 20^s, elle devra en 6^h avancer ou retarder de 5^s. Si l'on me répond, comme je le crois, qu'on peut pour un prix modéré avoir une montre qui remplisse ces conditions, je répondrai, à mon tour, que le problème de la longitude est résolu pour moi à un degré de précision bien supérieur à celui qu'on peut obtenir par les méthodes pratiquées en mer.

On verra plus bas qu'en faisant l'observation double, et en observant le soleil et la lune des deux côtés opposés du méridien, toute montre devient bonne et qu'on n'a pas même besoin de connaître sa marche : mais sans anticiper sur ce que j'aurai à dire à ce sujet, j'ajouterai seulement qu'ayant quel-

quefois fait usage d'une montre de gousset
à cylindre et à secondes, j'ai été étonné
de voir, qu'après avoir été réglée sur ma
pendule, elle s'en écartait à peine de 1 ou
2″ dans l'espace de 3 ou 4ʰ; bien qu'au dire
des artistes, cette montre fût une pièce
d'horlogerie très ordinaire.

Dans tout ce que j'ai dit ci-dessus, j'ai
supposé que l'observatoire était fixe, et que
le pilote observait la lune au même point
de la mer où il avait observé le soleil; mais
si au lieu de cela , on veut qu'il continue
sa route, il est aisé de voir quelle correction deviendra nécessaire.

Si le pilote, après avoir pris à 3ʰ 1/2 la
hauteur du soleil pour régler sa montre,
s'arrête dans le même point jusqu'à ce qu'il
observe la lune, il est clair que sa montre
lui fera connaître sans aucune correction ,
l'heure de l'observation de la lune; mais si,
au contraire, il a dans l'intervalle navigué
à *l'est* ou à *l'ouest*, la montre marquera
toujours l'heure qu'il est dans le lieu où
elle a été réglée, c'est à dire sous le méridien où il se trouvait à 3ʰ 1/2, et non
l'heure qu'il est dans celui où 3ʰ après il
observe la hauteur de la lune. Ainsi la cor-

rection consistera à réduire en temps, à
raison de 4^m pour 1°, le chemin en longitude que le vaisseau a parcouru pendant
l'intervalle des deux observations du soleil
et de la lune, et ajoutant ce temps à l'heure
de la montre s'il a fait route à *l'est* ou le déduisant s'il a fait route à *l'ouest*, il aura l'heure
de l'observation de la lune à très peu près
exacte ; parce que dans un si court espace
de temps, l'erreur sur l'estime du chemin
en longitude ne peut être que très peu de
chose. Mais cependant s'il s'agissait d'une
opération importante et délicate, je préfé-
rerais perdre deux ou trois heures de chemin, et m'arrêter en mettant en pane, ou
mieux encore en faisant de petites bordées,
pour prévenir l'effet des courants connus,
afin de faire les deux observations dans le
même lieu. Il est sous-entendu, au reste,
que si la route n'a pas porté directement à
l'est ou à *l'ouest*, le pilote devra avoir
égard au changement de latitude en employant celle du lieu où il observe la lune,
et que si la route a porté directement au
nord ou au *sud*, il n'aura point de correction à appliquer à l'heure de la montre,
mais seulement à la latitude, en em-

ployant dans son calcul celle où il se trouve par estime à $6^h 23^m$ du soir, lorsqu'il observe la lune.

SECONDE MANIÈRE.

La première manière ci-dessus de trouver la longitude, ne peut être mise en pratique qu'environ huit fois en un mois. Savoir : les 4e, 5e, 6e et 7e jours de la lune; après quoi elle est trop élevée lors du coucher du soleil : et ensuite les 4e, 5e, 6e et 7e jours avant la nouvelle lune. Mais moyennant les précautions que je vais indiquer, on peut encore en faire usage trois jours avant la pleine lune, et autant après.

La rectification de l'octant n'exige pas plus de soin ici que dans la première méthode, par la raison qu'observant le soleil et la lune du même côté du méridien, avec le même octant et sans changer sa rectification, bien qu'à de plus longs intervalles, l'erreur de l'instrument, si elle existe, influera de telle manière sur les angles horaires des deux astres (comme on le verra ci-après), que leur somme don-

nera toujours leur différence d'ascension
droite avec autant d'exactitude que si les
angles horaires étaient sans erreur, car il
faut remarquer que, bien que le soleil et
la lune doivent être observés du même côté
du méridien, il se rencontrera cependant
que, dans le moment où l'on observera la
lune, le soleil devra se trouver du côté
opposé du méridien, c'est à dire à *l'ouest*
de ce cercle, si la lune est à *l'est*, et *vice
versa*, et que par conséquent c'est la somme
des deux angles horaires qui donnera,
ainsi que je l'ai dit, la différence d'ascension
droite des deux astres. Un exemple ren-
dra ceci plus sensible.

Supposons que le 30 mars 1828, un pilote veuille observer la lune pour en déduire sa longitude; la lune étant ce jour-là,
presque pleine, il sait qu'elle devra se lever le soir, demi-heure à peu près avant le
coucher du soleil, et qu'il pourra l'observer commodément, vers les 6^h 1/4 du soir,
environ.

Devant observer la lune le soir à *l'est* du
méridien, il devra observer le même jour
le soleil à *l'est* du méridien aussi, ayant attention de le saisir dans le moment où son

mouvement horaire en hauteur soit à peu
près égal à celui qu'aura la lune lorsqu'on
l'observera le soir, afin que l'erreur de l'octant, si elle existe, influe également sur les
deux angles horaires du soleil et de la lune,
et par ce moyen, tout sera compensé.

L'octant avec lequel on observera le soleil donnera, ou la hauteur exacte, ou trop
grande, ou trop petite. S'il la donne exacte,
l'angle horaire du soleil qu'on en déduira
sera exact, et on le conservera exact au
moyen de la montre, jusqu'au moment de
l'observation de la lune.

S'il donne la hauteur trop grande, l'angle horaire du soleil sera trop petit; puisque l'observation est faite le matin, c'est
à dire qu'il donnera l'heure trop avancée;
la montre la conservera donc trop avancée, et donnera par conséquent l'angle horaire du soleil trop grand après midi, lorsqu'on observera la lune peu après le coucher du soleil.

Enfin, si l'octant donne la hauteur trop
petite, l'angle horaire du soleil qu'on en
déduira sera trop grand, c'est à dire qu'on
aura l'heure trop peu avancée puisque
l'observation se fait le matin; la montre la

3*

conservera donc trop peu avancée, et donnera par conséquent l'angle horaire du soleil trop petit dans le moment où l'on fera ensuite, le soir, l'observation de la lune.

L'octant avec lequel on observera la lune le soir à l'*est* du méridien, et qui doit être le même, donnera également sa hauteur, ou exacte, et alors l'angle horaire qu'on en déduira sera exact; ou bien il la donnera trop grande, et alors l'angle horaire de la lune sera trop petit, ou enfin il la donnera trop petite, et alors l'angle horaire de la lune sera trop grand. On voit dans ces trois cas qui sont les seuls qui peuvent se présenter, que l'erreur de l'octant, si elle existe, devient nulle et ne nuit en rien au résultat.

Supposons en effet qu'on observe la lune à l'*est* du méridien, avec un octant qui donne sa hauteur trop grande, il en résultera qu'il donnera son angle horaire trop petit, et, ainsi que je l'ai dit, il faudra, pour compenser ce défaut, que l'angle horaire du soleil à l'*ouest* soit augmenté de la même quantité : or c'est là précisément ce qui arrive; puisqu'en observant avec le même octant le soleil à l'*est* du méridien, il donnera son angle horaire trop petit, ou soit l'heure trop avancée; et la montre la conservant trop avancée, donnera au moment de l'observation de la lune, c'est à dire vers 6 heures du soir, l'angle horaire du soleil trop grand précisément de la même quantité dont celui de la lune à l'*est* est devenu trop petit, et tout sera compensé.

Il est inutile d'observer que si l'octant, au lieu de donner la hauteur trop grande, l'eût au contraire donnée trop petite, la correction aurait également eu lieu, mais que tout aurait été à l'opposé.

On voit donc que, quelle que soit la rectification de l'octant, les angles horaires se corrigent et se compensent l'un l'autre, et que leur somme donne par conséquent toujours la différence d'ascension droite du soleil et de la lune avec autant de précision que si l'octant était sans erreur : on trouvera plus bas le détail et le calcul d'une observation que j'ai faite à Raguse le 30 mars 1828, pour déterminer la longitude de cette ville. Mais auparavant je dois ajouter quelques réflexions relatives à cette seconde manière.

On comprend que voulant observer la
lune le 3ᵉ, le 2ᵉ et le 1ᵉʳ jours avant son
plein, il faut faire cette observation le soir
à l'*est* du méridien, à peu près vers l'heure
du coucher du soleil, par la raison que se
couchant avant que le soleil se lève, on ne
pourrait pas l'observer à l'*ouest*, attendu
qu'on ne pourrait pas distinguer la ligne
de l'horizon. Mais lorsqu'elle a dépassé son
plein, comme le 1ᵉʳ, 2ᵉ et 3ᵉ jours après,
on ne peut pas l'observer le soir à l'*est* du
méridien, parce qu'elle se lève après le
coucher du soleil, et qu'on ne pourrait pas
distinguer l'horizon de la mer; il faut donc
alors l'observer le matin à l'*ouest* du méridien avant qu'elle se couche, et dès que la
ligne de l'horizon est bien visible. Il faut
en ce cas avoir observé le soleil dans l'après-
diner du jour qui précède l'observation de
la lune; et par ce moyen le soleil et la
lune étant observés du même côté du méridien, c'est à dire à l'*ouest* de ce cercle, la
compensation aura lieu, et le résultat sera
aussi exact que si la rectification de l'octant
était parfaite.

Supposons donc que le 1ᵉʳ avril 1828 un
pilote eût voulu observer la lune un peu

avant le lever du soleil : la lune, ayant alors
dépassé son plein , se trouvera dans ce moment près de l'horizon à l'*ouest* du méridien; et par conséquent il aurait dû, conformément à ce que j'ai déjà dit, observer
le soleil le 31 mars après midi, en employant le même octant pour le soleil et
pour la lune, et en ayant soin d'observer
le soleil dans un moment où son mouvement en hauteur soit égal à peu près à
celui qu'aura la lune lorsqu'il devra l'observer le lendemain matin à l'*ouest* du méridien.

La différence d'ascension droite du soleil
et de la lune, est l'angle formé aux pôles
par les méridiens qui passent par le centre de ces deux astres. Cet angle qui doit
se compter suivant l'ordre des signes, est
moindre de 180° depuis la nouvelle lune
jusqu'à la pleine lune, et plus grande de
180° depuis la pleine lune jusqu'à la nouvelle lune (1).

(1) Il peut y avoir ici une petite différence ,
parce que l'orbite de la lune n'est pas l'écliptique ;
mais il était superflu que je m'y arrêtasse dans une
explication générale.

J'ajoute donc que si la lune, n'étant pas encore pleine, se voit le soir à l'*est* du méridien, tandis que le soleil est à l'*ouest*, l'angle qui forme leur différence d'ascension droite sera moindre de 180°, et se trouvera au-dessus de l'horizon. De plus, le méridien se trouvant entre les deux astres, leur différence d'ascension droite sera égale à la somme de leurs angles horaires, comptés à droite et à gauche de la portion du méridien qui est au-dessus de l'horizon.

Si au contraire la lune ayant passé son plein, se voit le matin à l'*ouest* du méridien, tandis que le soleil est à l'*est*, l'angle qui forme ici la différence d'ascension droite des deux astres, et qui sera de plus de 180°, se trouvera au-dessous de l'horizon, et cet angle sera égal à la somme des angles horaires du soleil et de la lune comptés à droite et à gauche de la portion du méridien invisible ou inférieure.

Venons à présent à l'observation du 1er avril, dans laquelle on a observé le soleil le 31 mars dans l'après-dînée, et la lune le lendemain matin 1er avril, et supposons qu'on ait fait usage d'un octant qui

donne la hauteur des astres trop grande;
il est clair que dans ce cas, l'angle horaire déduit de l'observation du soleil faite
le 31 mars, sera trop petite, et qu'on aura
l'heure trop peu avancée; la montre la conservera donc trop peu avancée jusqu'au
moment de l'observation de la lune, et de
cette heure déduisant 12 heures écoulées
depuis midi jusqu'à minuit, on aura l'heure
comptée depuis minuit trop petite, et par
conséquent l'angle horaire du soleil compté
depuis la partie inférieure du méridien qui
sera également trop petit. Il reste à présent
à montrer que l'angle horaire de la lune
sera par la même cause rendu trop grand
de la même quantité, et qu'ainsi, l'excès
compensant le défaut, la différence d'ascension droite sera trouvée aussi exacte
que si la rectification de l'instrument était
parfaite. Il suffit pour cela d'observer que
l'octant dont on fait usage pour la lune
étant le même qu'on a employé pour le
soleil, et donnant par conséquent la hauteur trop grande, il donnera l'angle horaire
de la lune trop petit, et déduisant cet
angle horaire trop petit de 180°, on aura
l'angle horaire de la lune, compté comme

il doit l'être du méridien inférieur, trop
grand de la même quantité. Ainsi, ayant
d'un des côtés du méridien inférieur l'angle horaire de la lune trop grand d'une
quantité quelconque, et de l'autre côté
l'angle horaire du soleil trop petit de
la même quantité, la somme de ces deux
angles donnera toujours la différence d'ascension droite exacte, puisque, je le répète, l'excès compensera le défaut. On
pourrait trouver la différence d'ascension
droite des deux astres de bien d'autres
manières encore, mais on ne peut pas tout
dire, et le pilote intelligent qui se rend
compte de ce qu'il fait, pourra les trouver
de lui-même.

L'heure de l'observation de la lune donnée par la montre qui a été réglée la veille,
ou soit le 31 mars après midi, sur le soleil, est toujours celle qu'il faut employer
dans le calcul; mais comme n'ayant nul
besoin de bien rectifier l'octant, il peut
arriver que cette heure ne soit pas précisément exacte, et qu'il pourrait en résulter à
la fin une petite différence sur la longitude, il vaudra toujours mieux faire usage
de la correction ou du moyen dont j'ai

parlé dans le calcul de l'observation du
20 mars.

On remarquera que, dans cette seconde
manière de chercher la longitude, l'intervalle entre les observations du soleil et de
la lune étant plus grand, on a pour cette
raison un peu plus à craindre de l'irrégularité de la montre; mais je pense qu'on peut
se rassurer à cet égard en réfléchissant à
la grande précision dont sont susceptibles
les montres marines qu'on fait aujourd'hui.
Il est vrai qu'on ne doit guère s'attendre
à ce que les marins aient des montres aussi
chères, quoiqu'il fût extrêmement convenable de dépenser 2000 francs pour coo-
pérer à la conservation de l'équipage, de
la cargaison et du navire; mais à la vérité
ils n'ont pas besoin d'une précision aussi
grande que celle que peuvent donner de
pareilles montres.

Observation lunaire faite à Raguse, le 30 mars 1828.

Je me suis servi pour cette observation
d'une montre à secondes et d'un sextant
à lunettes dont le nonius donne les se-

4

condes de 15 en 15, et que j'ai cherché à rectifier de manière qu'il donnât les angles trop petits de 3′, et comme ce sextant est excellent, et que j'ai donné à cette fausse rectification toute l'attention possible, je suis à peu près sûr qu'il m'a indiqué en effet les hauteurs du soleil et de la lune trop petites de 3′, ou du moins que je n'ai pas à craindre à cet égard une incertitude de plus de 15″ et peut-être bien moins encore (1).

Sachant, attendu l'âge de la lune, qu'elle se lèverait un peu avant le coucher du soleil, et que le moment le plus favorable pour l'observer à l'*est* du méridien serait celui de 6ʰ 1/4 ou à peu près, je calculai quelle était la hauteur à laquelle je devais saisir, tant le soleil que la lune, pour que leur mouvement en hauteur fût à peu près le même, et je trouvai que le soleil devait être observé dans la matinée lorsqu'il aurait 10° 30′ environ de hauteur, c'est à dire vers 6ʰ 45ᵐ, et la lune lorsqu'elle aurait environ 8° de hauteur, ou à 6ʰ 1/4 du

(1) Ma montre retardait de 24ˢ en 24ʰ de temps vrai.

soir à peu près, et ayant fait les observations aux temps indiqués, je trouvai :

Qu'à 6ʰ 40ᵐ 5ˢ de la montre, la hauteur
vraie du centre du soleil corrigée de tout,
avait été de 10° 24′ 15″, ce qui me donna
pour l'angle horaire du soleil, ou soit
l'heure de l'observation, 6ʰ 42ᵐ 43ˢ 2/3,
et qu'à 6ʰ 14ᵐ 53ˢ du soir de la montre,
la hauteur vraie du centre de la lune, corrigée de tout, avait été de 7° 51′ 48″.

Je détermine à présent l'heure vraie de
l'observation de la lune comme suit (1).

Le soleil a été observé à 6 h. 40 m 5 s. du matin de la
montre. 6ʰ 40ᵐ 5ˢ
La lune a été observée à 6 h. 14 m. 53 s.
du soir, de la montre. 6ʰ 14ᵐ 53ˢ

Temps de la montre écoulé entre les deux
observations du soleil et de la lune. 11ʰ 34ᵐ 48ˢ

Les 11ʰ 34ᵐ 48ˢ font, d'après la marche
de la montre, 11ʰ 35ᵐ de temps vrai. Ainsi,
puisque l'observation de la lune a eu lieu,
11ʰ 35ᵐ, temps vrai, après celle du soleil,
et que celle du soleil a eu lieu lorsqu'il

(1) J'appelle cette heure, heure vraie, attendu
qu'elle le devient par la manière dont je fais l'observation.

était 6^h 42^m 43^s 2/3 du matin temps vrai, j'ajoute les 11^h 35^m à l'heure de l'observation solaire, et j'ai pour l'heure de l'observation de la lune, 6^h 17^m 43^s 2/3, du soir.

Calcul du pilote.

Le 30 mars 1828, à 6 h. 17 m. 43 s. 2/3 du soir, la hauteur vraie du centre de la lune, corrigée de tout, a été trouvée de 7° 51' 48", et sa distance vraie au zénith, de 82° 8' 12".

Le pilote, d'après son point, croit être par 12° 30' de longitude orientale de Paris, et, d'après cette estime, l'heure de Paris, correspondant au moment où il a observé la lune, est 5 h. 27 m. 43 s. 2/3 du soir, à Paris.

Déclinaisons ☾ à 5 h. 27 m. 43 s. 2/3 du soir, à Paris ; 2° 36' 46" sud, distance polaire. . . . . . . 92° 36' 46"

Ascension droite ☉, idem. . . . . 9° 10' 43"

Angle horaire ☉ à 6 h. 17 m. 43 s. 2/3 du soir. 94° 25' 55"

Avec la distance ☾ au zénith de 82° 8' 12". Sa distance au pôle de 92° 36' 46", et le complément latitude de Raguse 47° 21' 40", je trouve l'angle horaire de la lune à l'*est*, de 76° 48' 34".

Angle horaire ☉ à l'*ouest*.	94° 25' 55"
+ Angle horaire ☾ à l'*est*.	76° 48' 34"
On a la différ. ascension droite ☉ et ☾. .	171° 14' 29"
+ Ascension droite ☉.	9° 10' 43"

Ascension droite ☾ au moment où elle a été observée. . . . . 180° 25' 12"

Lorsque l'ascension droite ☾ est de 180° 25' 12", il est à Paris. . . . . 5^h 11^m 59^s soir.

Il faut observer que, comme dans la méthode que j'emploie, je n'ai nul besoin de rectifier l'octant, à cause des compensations que j'obtiens, et qu'ici au contraire l'ayant de plus expressément mal rectifié, je ne pouvais pas compter sur l'heure de l'observation de la lune déduite de celle du soleil, conformément à ce que j'avais déjà pratiqué dans l'observation du 20 mars, j'eus le soin de me servir d'un autre octant bien rectifié, avec lequel je pris plusieurs hauteurs du soleil pour avoir l'heure avec exactitude, et j'en déduisis que dans le moment où la lune avait été observée, il était, non $6^h 17^m 43^s 2/3$, mais $6^h 18^m$.

Je passe donc. . . . . $6^h 18^m 0^s$

Desquelles déduisant les 5 h. 11 m. 59 s.,
ci-dessus. . . . . $5^h 11^m 59^s$

Différence et longitude orientale de Paris. $1^h 6^n 1^s$

Second calcul du pilote.

Le pilote voyant que le premier calcul lui donne une longitude qui diffère du point d'estime sur lequel il s'était réglé, doit en faire un second en prenant pour point d'estime la longitude 1ʰ 6ᵐ 1ˢ obtenue par la première opération. D'après cette estime les 6ʰ 17ᵐ 43ˢ 2/3 moment de l'observation de la lune, font de Paris 5ʰ 11ᵐ 42ˢ 2/3 du soir.

Déclinaison ☾ à 5 h. 11 m. 42 s. 2/3 de Paris; 2° 34' 1''
sud., distance polaire. . . . . 92° 34' 1''
Ascension droite ☉, idem. . . . . 9° 10' 8''
Angle horaire ☾ à 6 h. 17 m. 43'' 2/3 du s. 94° 25' 55''

Avec la distance ☾ au zénith 82° 8' 12''; sa distance an pôle 92° 34' 1'', et le complément latitude 47° 21' 40'', je trouve l'angle horaire ☾ à l'*est*, de 76° 51' 12''
Angle horaire ☉ à l'*ouest*. . . . . 94° 25' 55''
+ Angle horaire ☾ à l'*est*. . . . . 76° 51' 12''

On a la différence ascension droite ☉ et ☾. 171° 17' 7''
+ Ascension droite ☉ . . . . 9° 10' 8''

Ascension droite ☾ au moment où elle a
été observée. . . . . 180° 27' 15''

Lorsque l'ascension droite ☾ est de 180°
27' 15'', il est à Paris. 5h 16m 1s
Il est alors pour l'observateur. 6ʰ 18ᵐ

Donc, longitude orientale de Paris. 1ʰ 1ᵐ 59ˢ

Troisième calcul du pilote.

Pour l'estime de 1ʰ 1ᵐ 59ˢ, ce qui donne pour le temps de Paris correspondant au moment de l'observation de la lune qui a eu lieu à 6ʰ 17ᵐ 43ˢ 2/3, temps de Paris, 5ʰ 15ᵐ 44ˢ 2/3, du soir.

Déclinaison ☾ à 5 h. 15 m. 44 s. 2/3 de Paris, 2° 34' 42" sud, distance polaire. . . . . 92° 34' 42"

Ascension droite ☉ idem. . . . . 9° 10' 17"

Angle horaire ☉ à 6 h. 17 m. 43 s. 2/3 du soir. 94° 25' 55"

La distance ☾ au zénith, 82° 8' 12", sa distance au pôle 92° 34' 42", et le complément latitude 47° 21' 40", donne l'angle horaire ☾ à l'*est* de. . . . . 76° 50' 29"

Angle horaire ☉ à l'*ouest*. . . . . 94° 25' 55"
+ Angle horaire ☾ à l'*est*. . . . . 76° 50' 29"

On a la différence ascension droite ☉ et ☾. 171° 16' 24"
+ Ascension droite ☉. . . . . 9° 10' 17"

Ascension droite ☾ au moment où elle a été observée. . . . . 180° 26' 41"

Lorsque l'ascension droite ☾ est de 180° 26' 41", il est à Paris. 5ʰ 14ᵐ 54ˢ
Il est alors pour l'observateur. 6ʰ 18ᵐ

Donc longitude orientale de Paris. 1ʰ 3ᵐ 6ˢ

Quatrième calcul.

Le pilote fera un quatrième calcul qui donnera la longitude de 1ʰ 2ᵐ 47ˢ; après quoi, voyant qu'il ne lui servirait de rien d'en faire un cinquième, il s'arrêtera et tiendra pour bonne la longitude de 1^h 2^m 47^s orientale de Paris.

Si le pilote, au lieu de se croire trop à l'*ouest*, ainsi que je l'ai supposé, se fût, au contraire, cru trop à l'*est*, comme, par exemple, par 19°, ou soit 1^h 16^m de longitude orientale de Paris, le résultat aurait été le même, c'est à dire qu'on aurait trouvé la même longitude à quelques secondes près. Je ne mettrai ici que le résultat des calculs du pilote.

Premier calcul.

L'heure de l'observation est la même, la distance de la lune au zénith est la même; et d'après l'estime de 1^h 16^m de longitude orientale de Paris, l'heure de Paris correspondant à l'observation de la lune, c'est à dire à 6^h 17^m 43^s 2/3, donne 5^h 1^m 43^s 2/3 de Paris.

Ce premier calcul donne l'ascension droite de la lune au moment de l'observation de 180° 28′ 31″.

Lorsque l'ascension droite ☾ est 180° 28′ 31″, il est à

à Paris. . . . . 5^h 18^m 30^s 1/2 du soir,

Il est alors pour l'observateur. . 6^h 18^m 0^s

Donc longitude orientale de Paris. 0^h 59^m 29^s 1/2

Second calcul du pilote, basé sur l'estime de 0^h 59^m 29^s 1/2 de longitude orientale, ce qui donne pour le temps de Paris, correspondant à l'heure de l'observation de la lune 5^h 18^m 14^s 1/6 de Paris.

D'après ce second calcul, l'ascension droite de la lune, au moment de l'observation, est de 180° 26′ 25″.

Lorsque l'ascension droite ☾ est 180° 26′ 25″, il est à Paris. . . . . 5^h 14^m 23^s

Il est alors pour l'observateur. . . . . . . 6^h 18^m 0^s

Donc longitude orientale de Paris. . . . . . 1^h 3^m 37^s

Troisième calcul du pilote, basé sur l'estime de 1^h 3^m 37^s de longitude orientale, ce qui donne pour le temps de Paris, correspondant à l'heure de l'observation de la lune, 5^h 14^m 6^s 2/3 de Paris.

D'après ce troisième calcul, l'ascension droite de la lune, au moment de l'observation, est de 180° 27′ 6″.

Lorsque l'ascension droite ☾ est 180° 27′ 6″, il est à

Paris. 5ʰ 15ᵐ 43ˢ

Il est alors pour l'observateur. 6ʰ 18ᵐ 0ˢ

Donc longitude orientale de Paris. 1ʰ 2ᵐ 17ˢ

Quatrième calcul du pilote, basé sur l'estime de 1ʰ 2ᵐ 17ˢ de longitude orientale, ce qui donne pour le temps de Paris, correspondant à l'heure de l'observation de la lune, 5ʰ 15ᵐ 26ˢ 2/3 de Paris.

D'après ce quatrième calcul, l'ascension droite de la lune, au moment de l'observation, est de 180° 26′ 46″.

Lorsque l'ascension droite ☾ est de 180° 26′ 46″, il est à

Paris. 5ʰ 15ᵐ 4ˢ

Il est alors pour l'observateur. 6ʰ 18ᵐ 0ˢ

Donc longitude orientale de Paris. 1ʰ 2ᵐ 56ˢ

Cinquième calcul du pilote, basé sur l'estime de 1ʰ 2ᵐ 56ˢ de longitude orientale, ce qui donne pour le temps de Paris, correspondant à l'heure de l'observation de la lune, 5ʰ 14ᵐ 47ˢ 2/3 de Paris.

Ce cinquième calcul donne la longitude de 1ʰ 2ᵐ 45ˢ orientale de Paris.

Le pilote voyant alors qu'il serait inutile qu'il en fît un sixième, puisqu'il ne pourrait produire sur la longitude qu'une diffé-

rence d'une ou deux secondes de temps,
il s'arrètera à la longitude trouvée de 1^h
2^m 45^s, qui s'accorde, à deux secondes de
temps près, à celle qu'il avait trouvée lorsqu'il supposait son point d'estime trop à
l'*ouest*, puisque celui-ci donnait la longitude de 1^h 2^m 47^s orientale de Paris.

Les deux manières de faire l'observation
de la longitude que je viens d'indiquer
peuvent être mises en pratique quatorze
fois en un mois, lorsque le temps le per-
met, et c'est assez pour les besoins du pilote. Mais cependant comme j'ai dit qu'en
observant deux fois le soleil et la lune des
deux côtés du méridien, on n'aurait rien à
craindre de l'irrégularité de la montre, je
vais expliquer en quoi consiste cette troisième méthode, dont on ne peut, à la vérité, faire usage que trois fois en un mois;
savoir, la veille de la pleine lune, le jour
même, et le lendemain.

TROISIÈME MANIÈRE DE FAIRE L'OBSERVATION DE LA LONGITUDE.

Dans cette manière de chercher la longitude, il faut observer deux fois le soleil

et la lune des deux côtés opposés du méridien; si, par exemple, on fait cette opération un jour où la lune est voisine d'être
pleine, et où par conséquent elle se lève le
soir un peu avant le coucher du soleil; il
faudra d'abord observer le soleil dans l'a-
près-dînée, pour régler la montre et connaître ainsi l'heure précise de la première
observation de la lune, qui devra avoir lieu
quelques heures après, lorsqu'elle sera un
peu élevée sur l'horizon du côté de l'*est*.

Pareillement, le lendemain matin, ayant
observé la lune à l'*ouest* avant qu'elle se
couche, on observera quelques heures
après la hauteur du soleil, pour régler de
nouveau la montre, et connaître l'heure
à laquelle a eu lieu cette seconde observation de la lune.

Il faut, dans cette opération, employer
deux octans, dont l'un, que j'appellerai octant de la lune, servira pour prendre sa
hauteur le soir et le lendemain matin; en
ayant grand soin de le garantir de tout
choc, afin que sa rectification soit la même
dans les deux observations; car ce qu'il y
a de plus important n'est pas qu'il soit bien
rectifié, mais que si sa rectification est

fausse, elle le soit également le soir et le matin.

L'autre octant, que j'appellerai octant du soleil, servira à prendre la hauteur de cet astre le soir et le lendemain matin. On aura également soin que sa rectification se conserve la même dans les deux observations, comme pour l'octant de la lune.

Il faut, autant que possible, faire en sorte que le mouvement en hauteur de la lune soit à peu près égal dans les deux observations de cet astre; il est convenable d'avoir la même attention à l'égard des observations du soleil.

Quoique la rectification des deux octants soit ici une chose indifférente, je ne vois pas cependant quelle raison on pourrait avoir pour leur laisser volontairement une rectification fausse; d'autant que cela pourrait rendre le calcul plus long. Ainsi le mieux sera de les rectifier toujours avec attention, surtout celui de la lune, par la raison qu'on verra ensuite.

Outre la compensation ou correction de l'erreur des instruments que l'on obtient par cette troisième manière, il se trouve encore qu'on n'a pas même besoin de connaître la marche de la montre, et de savoir si elle est accélérée ou ralentie, ni combien elle parcourt de temps vrai en 24^h; d'où il résulte que toute montre peut servir. Mais il faut seulement faire en sorte, et c'est une chose facile, qu'il y ait le même intervalle, à peu près, entre les deux observations du soleil et de la lune faites le soir et le matin suivant. Par exemple, si j'ai observé aujourd'hui la hauteur du soleil, à 4^h après midi et celle de la lune à 7^h, ce qui fait un intervalle de 3^h, il faudra, le lendemain matin, que je fasse l'observation du soleil 3^h après celle de la lune, c'est à dire que si j'ai observé la lune à 6^h, il faudra que j'observe le soleil à 9^h; et par ce moyen la marche de la montre, quelle qu'elle soit, n'empêchera pas qu'on ait avec exactitude la différence d'ascension droite entre le soleil et la lune, qui est l'élément primordial dont tout dépend.

Il peut se présenter plusieurs cas que je vais tous énumérer; j'examinerai ensuite comment s'opère la correction dans chacun d'eux.

Premier cas. — Les deux octans peuvent donner, l'un et l'autre, les hauteurs exactes, et, dans ce cas, les longitudes déduites de chaque observation seront les mêmes et toutes deux exactes, si l'observateur n'a pas changé de place. Si, dans l'intervalle des deux observations, il a navigué, la différence des deux longitudes sera égale au chemin en longitude fait pendant le temps qui s'est écoulé entre les deux observations.

Second cas. — L'octant de la lune peut donner la hauteur trop grande, et celui du soleil la donner exacte.

Troisième cas. — L'octant de la lune peut donner la hauteur trop petite, et celui du soleil la donner exacte.

Quatrième cas. — L'octant de la lune peut donner la hauteur exacte, et celui du soleil la donner trop grande.

Cinquième cas. — L'octant de la lune peut donner la hauteur exacte, et celui du soleil la donner trop petite.

Sixième cas. — L'octant de la lune peut donner la hauteur trop grande, et celui du soleil trop grande aussi.

Septième cas. — L'octant de la lune peut

donner la hauteur trop petite, et celui du
soleil trop petite aussi.

Huitième cas. — L'octant de la lune
peut donner la hauteur trop grande, et
celui du soleil trop petite.

Neuvième cas. — L'octant de la lune
peut donner la hauteur trop petite, et celui du soleil la donner trop grande.

EXAMEN

DE LA MANIÈRE DONT SE FAIT LA COMPENSATION
DE L'ERREUR DANS LES CAS CI-DESSUS, QUI SONT
LES SEULS QUI PUISSENT SE PRÉSENTER; ET J'EN
EXCEPTE LE N° I, PUISQUE CE CAS EST UN
AXIOME.

Cas n° 2. — La correction consiste ici
en ce que l'erreur de l'octant de la lune
donnant la différence d'ascension droite
des deux astres trop petite d'une quantité
quelconque dans la première observation
du soir, elle devra forcément donner la
même différence d'ascension droite trop
grande de la même quantité dans la seconde observation de la lune faite le len-

demain matin; et le milieu, entre ces deux
résultats, donnera la différence d'ascension droite exacte, parce que l'excès compensera le défaut. Supposons, en effet,
que l'observation se fasse un jour où la
lune est voisine de son plein, comme le 30
mars 1828, et voyons l'effet que produira
l'erreur de l'octant sur la première observation de la lune faite le 30 mars avant
le coucher du soleil, et sur celle du lendemain 31 mars, faite avant son lever.

PREMIÈRE OBSERVATION DU 30 MARS SOIR.

L'angle horaire du soleil sera exact,
puisque l'octant du soleil est sans erreur ;
et comme l'octant de la lune donne sa
hauteur trop grande, et que cet astre est
observé à l'*est* du méridien, il donnera son
angle horaire trop petit à l'*est*. Ainsi, à
l'angle horaire de la lune à l'*est*, trop petit,
ajoutant l'angle horaire du soleil à l'*ouest*,
qui est exact, on aura la différence d'ascension droite des deux astres trop petite,
ce qui donnera la longitude trop à l'*est*
d'une quantité quelconque.

4

SECONDE OBSERVATION DU 31 MARS MATIN.

L'angle horaire du soleil sera exact,
puisque l'octant du soleil est sans erreur ;
et comme l'octant de la lune donne sa hauteur trop grande, et que cet astre est observé à l'*ouest* du méridien, il donnera son
angle horaire à l'*ouest* trop petit; ainsi à
l'angle horaire de la lune à l'*ouest* trop petit, ajoutant l'angle horaire du soleil à
l'*est* qui est exact, on aura la distance angulaire du soleil à la lune, comptée au-dessus de l'horizon qui sera trop petite. Mais
il faut observer que cette distance angulaire des deux astres comptée à l'*est* et à
l'*ouest* du méridien supérieur, ne sera pas
la différence d'ascension droite, mais son
supplément à 360°; puisque l'angle au pôle
qui forme la différence d'ascension droite,
comptée comme elle doit l'être suivant
l'ordre des signes, se trouve ici en dessous
de l'horizon. On déduira donc la distance
angulaire trouvée ci-dessus de 360°; et
comme cette distance se trouve ici trop petite par l'effet de l'erreur de l'octant de la
lune, son supplément à 360°, qui est la

différence d'ascension droite des deux astres, sera trouvé trop grand de la même
quantité, dont la différence d'ascension
droite a été trouvée trop petite dans la première observation de la veille, puisque la
même cause a produit l'excès et le défaut.
On trouvera donc en définitive que la seconde observation donne la longitude plus
à l'*ouest* que la première ; et le milieu entre ces deux résultats donnera par conséquent la longitude exacte, malgré l'erreur
de l'octant de la lune qui se trouve ainsi
compensée et corrigée par la manière de
faire l'observation.

On a vu, par ce que j'ai dit ci-dessus, que
je regardais l'erreur de la lune comme totalement compensée, c'est que je n'avais
d'abord en vue que d'examiner en gros,
comment s'opérerait cette compensation.
Mais, en y réfléchissant, on peut manquer
d'observer que pour que cette compensation soit rigoureusement exacte, il faut que
dans les deux observations la lune se trouve
dans la même position relativement au soleil, c'est à dire que la distance de la lune
au pôle soit la même, ou à bien peu près :
et que dans tout autre cas il restera tou-

jours une petite erreur sur la longitude : mais cette erreur ne sera jamais que de très peu de chose, puisque, en supposant celle de l'octant de 2′, et que le changement de la lune en déclinaison eût été dans l'intervalle des deux observations de presque 1°, j'ai calculé que l'erreur définitive en longitude ne serait que d'une minute de temps environ, ou d'un quart de degré; et comme, en rectifiant l'octant avec attention, il est facile d'obtenir qu'il n'ait pas une erreur de plus de demi-minute, on voit dans ce cas que l'erreur pourrait être réduite à 20ˢ de temps, ou soit un peu plus d'une lieue à la latitude de 42°.

Il y a des circonstances où le mouvement de la lune en déclinaison est assez lent pour ne former qu'une petite différence dans l'intervalle qui s'écoule entre les deux observations; la correction serait alors plus exacte. Mais ces circonstances sont rares; il faut donc, pour cette raison, porter toute son attention sur l'octant de la lune, et chercher à le bien rectifier.

Je dois prévenir que le premier calcul, soit pour l'observation du soir, soit pour celle du lendemain matin, ne pourra jamais donner une longitude à laquelle on puisse se tenir, puisqu'il faudrait pour cela que la rectification des octans fût parfaite, et qu'en outre l'estime du pilote fût sans erreur; en conséquence on devra répéter le calcul comme on l'a vu dans les observations déjà citées, jusqu'à ce que le résultat soit stationnaire; c'est à dire que deux calculs consécutifs donnent la même longitude à 2 ou 3″ près. Par ce moyen on obtiendra pour l'observation du 30 mars, soir, une longitude qui sera plus ou moins fausse, suivant l'erreur que produira l'octant de la lune, mais ensuite, l'observation du 31 mars, matin, donnant une longitude qui sera également fausse de la même quantité, mais en sens contraire, le milieu entre ces deux longitudes sera celle du lieu de l'observation, laquelle se trouvera exacte, sauf la petite différence provenant du changement de position de la lune, conformément à ce que j'ai dit plus haut.

Cas n° 3. — Ce cas est le même que le n° 2, avec la seule différence que tout est à l'inverse; il est par conséquent inutile que j'entre ici dans le moindre détail.

Cas n° 4. Ma méthode jouit ici de tous

ses avantages, et l'on obtient la compensation exacte, sans avoir rien à craindre
du changement de position de la lune,
puisque l'octant avec lequel on observe
cet astre, est supposé donner la hauteur
précise. Je prends pour exemple la double observation des 3o et 31 mars, ainsi
que je le ferai pour toutes les opérations
ci-après.

Dans l'observation du 3o mars, soir,
l'angle horaire du soleil sera donné trop
petit, et l'angle horaire de la lune sera
juste : ainsi la somme de ces deux angles
horaires, qui est la différence d'ascension droite des deux astres, sera trop
petite.

Dans l'observation du 31 mars, matin,
l'angle horaire du soleil sera également
donné trop petit, et l'angle horaire de la
lune sera exact; par conséquent la distance
angulaire des deux astres comptée au-dessus
de l'horizon deviendra trop petite; mais
comme cette distance n'est pas la différence
d'ascension droite, mais son supplément
à 36o°, le supplément de cette distance,
qui est la différence d'ascension droite,
sera donc trop grande de la même quan-

tité dont la distance angulaire au-dessus
de l'horizon a été trouvée trop petite.

On voit donc que, dans l'observation
du 30 mars, soir, la différence d'ascension
ayant été trouvée trop petite, le calcul
donnera la longitude trop à l'*est* d'une
quantité quelconque; que dans celle du 31
mars, matin, la différence d'ascension
droite ayant au contraire été trouvée trop
grande, le calcul donnera la longitude
trop à l'*ouest* de la même quantité, et que
par conséquent le milieu entre les deux
longitudes trouvées, sera la longitude
exacte; puisqu'on n'a pas à craindre ici le
changement de position de la lune.

Cas n° 5. — Ce cas est le même que le
n° 4, avec la seule différence que tout est
à l'inverse: il est par conséquent inutile
que je m'y arrête.

Cas n° 6. — D'après tout ce que j'ai dit
ci-dessus, une nouvelle explication devient
à peu près superflue pour le cas présent.
On voit, en effet, que, dans l'observation
faite le 30 mars, soir, les deux angles horaires du soleil et de la lune étant rendus
tous les deux trop petits, la différence
d'ascension droite des deux astres, qui est

ici la somme de ces deux angles horaires,
devient par conséquent doublement trop
petite : que dans l'observation du 31 mars
matin, les deux angles horaires du soleil
et de la lune étant également rendus trop
petits, la distance angulaire des deux astres comptée au-dessus de l'horizon, se
trouvera doublement trop petite. Prenant
par conséquent, comme on doit le faire,
le supplément de cette distance à 360° pour
avoir la différence d'ascension droite ; on
aura cette différence d'ascension droite
doublement trop grande dans l'observation
du 31 mars, tandis qu'elle a été doublement
trop petite dans l'observation du 30, d'où
l'on voit que l'excès compensant le défaut, on
aura par un milieu entre les deux résultats,
la longitude exacte ; sauf la petite différence
provenant du changement de position de
la lune, à laquelle on est ici exposé, puisque l'instrument avec lequel on a observé
cet astre est supposé ne pas donner sa hauteur exacte.

Cas n° 7. — Ce cas étant l'inverse du
n° 6, je ne m'arrêterai pas à en parler.

Cas n° 8. — Je ne parle de ce cas que
pour montrer que, suivant les circon-

stances, il rentre immanquablement dans l'un des cas ci-dessus; et appelant, pour plus de facilité, erreur en plus, celle de l'octant, qui donne la hauteur trop grande, et erreur en moins, celle de l'octant qui la donne trop petite, je me bornerai aux réflexions suivantes, applicables toujours aux observations doubles, telles que celles des 3o et 31 mars.

Si l'erreur de l'octant de la lune est en *plus*, et celle de l'octant du soleil en *moins*, et que ces deux erreurs soient égales, le résultat sera le même que si les deux instruments donnaient la hauteur exacte, et l'on sera dans le cas n° 1.

Si l'erreur de l'octant de la lune est en *plus*, et celle de l'octant du soleil en *moins*, mais que cette dernière soit plus forte, le résultat sera le même que si l'octant de la lune donnait la hauteur exacte, et celui du soleil trop petite d'une quantité égale à la différence des deux erreurs, ce qui rentre dans le cas n° 5.

Si l'erreur de l'octant de la lune est en *plus* et celle de l'octant du soleil en *moins*, et que cette dernière soit la plus petite, le résultat sera le même que si l'octant

5.

du soleil donnait la hauteur exacte, et l'octant de la lune la donnait trop petite d'une quantité égale à la différence des deux erreurs, ce qui forme le cas n° 3, et ainsi de tous les autres cas, me paraissant fort inutile d'en faire ici l'énumération. Or, puisqu'on a vu de quelle manière l'erreur des instruments est compensée dans les cas n° 3 et 5, ainsi que dans les autres, on voit, par la même raison, de quelle manière elle sera compensée dans les cas n° 8 et n° 9.

Il me reste à présent à prouver, ce que j'ai dit plus haut, que si l'on fait l'observation double, c'est à dire qu'on observe deux fois le soleil et la lune des deux côtés du méridien, on n'aura rien à craindre de l'irrégularité de la montre, et ceci mérite que je m'y arrête un instant.

Il s'agit, dans les observations doubles, d'avoir la différence d'ascension droite exacte entre le soleil et la lune, ou du moins, si elle ne l'est pas par l'effet de la fausse rectification des instrumens, il faut alors que cette différence d'ascension droite se trouve trop grande dans l'une des observations de la même quantité dont elle est trop petite dans l'autre, et, par ce moyen, le *plus* compensant le *moins*, on obtiendra la correction de l'erreur des instruments, et par conséquent la diffé-rence d'ascension exacte, ainsi que je l'ai déjà démontré.

Supposons donc que la montre dont on fait usage avance, sans qu'on le sache, de 20ˢ par heure ; que la double obser-vation se fasse les 30 et 31 mars, veille de la pleine lune ; et qu'enfin les octants de la lune et du soleil donnent l'un et l'autre la hauteur exacte.

Le pilote devra d'abord, dans l'après-dîner du 30 mars, observer le soleil pour régler sa montre ; et si l'on suppose que cette observation a eu lieu dans le mo-ment où il était 3ʰ 5ᵐ à la montre, et que l'angle horaire déduit de la hauteur du soleil se soit trouvé de 45° 30′, ou de 3 2ᵐ, il notera que, dans le moment où sa montre marquait 3ʰ 5ᵐ, il n'était que 3ʰ 2ᵐ temps vrai, ce qui est juste, puisque l'octant avec lequel l'observation a été faite est supposé donner la hauteur exacte.

Après avoir observé le soleil à *l'ouest*, le pilote devra ensuite observer la hau-

teur de la lune à l'*est* du méridien pour
avoir son angle horaire ; et comme il n'importe en rien que cette observation de la
lune soit faite un peu plus tard , je supposerai qu'elle a eu lieu 3^h juste de la
montre après l'observation du soleil, et
par conséquent lorsque la montre marquait 6^h 5^m du soir. Le pilote ajoutera donc
3^h à l'heure vraie qu'a donné l'observation du soleil, c'est à dire 3^h 2^m, et il en
conclura que, dans le moment où il a observé la lune, il était 6^h 2^m du soir précises temps vrai, ce qui serait exact si la
montre n'avait pas varié dans l'intervalle
écoulé entre les deux observations ; mais
puisqu'elle avance de 20^s par heure sans
que le pilote le sache, et que par conséquent les 3^h de la montre ne font que
2^h 59^m, il se trouve qu'il n'aurait fallu
ajouter que 2^h 59^m à l'heure vraie de l'observation du soleil, ce qui aurait donné
6^h 1^m pour l'heure de l'observation de la
lune, tandis que le pilote, qui ignore la
marche de sa montre, croyant qu'elle a
eu lieu à 6^h 2^m précises, fait par conséquent l'angle horaire du soleil trop grand
d'une quantité correspondant à 1^m de

temps. Ainsi, à l'angle horaire de la lune,
qui est exact, ajoutant l'angle horaire ci-
dessus du soleil qui est trop grand, on
aura la différence d'ascension droite entre
le soleil et la lune trop grande aussi d'une
quantité relative à 1^m de temps.

Passons maintenant à l'observation du
31 mars matin.

Le pilote devra d'abord avant le lever
du soleil observer la lune à l'*ouest* du méridien pour connaître son angle horaire :
je suppose que cette observation ait eu
lieu dans le moment où la montre marquait 5^h 12^m du matin, mais comme le soleil n'est pas encore alors sur l'horizon, et
qu'il faut qu'il observe cet astre plus tard
pour régler sa montre et connaître l'heure,
je supposerai qu'il n'a fait l'observation du
soleil que 3^h de sa montre après l'observation de la lune, et par conséquent lorsque
sa montre marquait 8^h 12^m du matin.
L'observation de la hauteur du soleil donnera son angle horaire exact, puisque
l'octant dont on se sert est supposé sans
erreur, et si cet angle horaire a été trouvé
de 60°, ce qui fait 8^h du matin, le pilote
en conclura que l'observation de la lune

a en lieu 3^h avant le moment de 8^h, c'est à
dire à 5^h du matin, et son calcul serait juste si
la montre n'avait pas varié dans l'intervalle
de 3^h écoulé entre les deux observations ;
mais comme elle avance de 20^s par heure
sans que le pilote le sache, et que les 3^h de
sa montre ne font par conséquent que 2^h
59^m, il en résulte que de 8^h du matin il aurait fallu déduire seulement 2^h 59^m, ce qui
aurait donné, pour l'heure de l'observation
de la lune, 5^h 1^m, tandis que le pilote qui
ignore la marche de sa montre, croyant
qu'elle a eu lieu à 5^h, estime l'angle horaire du soleil trop grand d'une quantité
correspondant à 1^m de temps. Ainsi à
l'angle horaire de la lune à l'*ouest*, qui
est exact, ajoutant l'angle horaire du
soleil à l'*est*, qui est trop grand, on a la
distance angulaire des deux astres, comptée au-dessus de l'horizon, trop grande
d'une minute de temps, et prenant le supplément de cette distance à 360°, ainsi
qu'on doit le faire pour avoir la différence
d'ascension droite des deux astres, on
aura cette différence d'ascension droite
trop petite de la même quantité dont elle
a été trouvée trop grande dans l'observa-

tion du 30 mars, d'où il résultera que
toutes les erreurs seront compensées, malgré l'irrégularité de la marche de la montre, et que le milieu, entre les deux observations, donnant, par conséquent, la longitude exacte, le résultat sera le même que
si la montre n'avait pas varié du tout, pendant l'intervalle de trois heures écoulé entre les deux observations.

J'observerai, en terminant cet article,
que dans les observations doubles, toutes
les erreurs sont tellement compensées,
que l'heure que l'on obtient de la hauteur
du soleil, quelle qu'elle soit, et quelque
nom qu'on lui donne, est toujours celle
qu'il faut employer, non seulement dans
le calcul des angles horaires, ou de la différence d'ascension droite, mais encore
pour la conclusion; et, lorsque l'on compare l'heure du pilote avec l'heure corres-
pondante de Paris, sans qu'il puisse y avoir
le moindre avantage à chercher, pour la
conclusion du calcul, une autre heure plus
exacte, ainsi que, pour plus de précaution,
je l'ai pratiqué dans les observations sim-
ples déjà citées.

Dans tout ce que je viens de dire, j'ai

tacitement supposé que les deux observations de la lune se faisaient sur le même
point du globe; mais comme il est probable que le pilote continuera sa route,
pour ne pas perdre douze heures de chemin et quelquefois davantage, il faudra
alors appliquer au résultat une petite correction.

On a vu (l'observation étant supposée
fixe) que si, par l'erreur de l'instrument,
l'observation du 30 mars soir donne la longitude trop à l'*est*, celle du 31 mars matin faite avec le même instrument, donnera forcément la longitude trop à l'*ouest*
de la même quantité, *et vice versa*, et que
par conséquent le milieu entre les deux
résultats fera connaître la véritable longitude. Mais si, dans l'intervalle des deux
observations, le pilote a continué sa route
à l'*est* ou à l'*ouest*, il est clair que l'observation du 31 mars matin donnera une longitude différente, et qu'il faudra la dégager
de cette différence provenant uniquement
du changement de position du navire, afin
de la réduire à ce qu'elle aurait été si on
l'eût faite au même point du globe où l'on
a fait celle de la veille. Par exemple, si le

pilote se trouvant à l'*est* du méridien de
Paris, a fait route à l'*ouest*, et que son
changement de longitude estimé soit de
1°, il faudra ajouter 1o à la longitude
orientale que donnera l'observation du
31 mars matin, et le milieu entre cette longitude ainsi corrigée, et celle qu'a donné
la première observation du 30 mars, sera
la longitude par laquelle se trouvait le navire au moment de l'observation du 30
mars soir. On voit d'après cela ce qu'il aurait fallu faire si la route eût porté à l'*est*.

Une autre remarque que je dois faire
encore, c'est qu'observant le soleil le 30
mars vers les trois heures après midi pour
régler la montre, et me servant ensuite de
cette montre ainsi réglée, pour avoir l'heure
de l'observation de la lune, qui a lieu quelques heures après, j'introduis dans le calcul un angle horaire du soleil trop grand,
si dans l'intervalle la route a porté à l'*ouest*,
et trop petit si elle a porté à l'*est*, mais
ceci n'occasionne aucune erreur, et ne né-
cessite par conséquent aucune correction, parce que tout est compensé et corrigé par la seconde observation du lendemain matin, de la même manière qu'on a

vu que s'est opérée la correction de la marche de la montre. En voilà assez sur cet article, et même trop pour certaines personnes.

Je voulais me borner aux trois manières ci-dessus d'observer la longitude ; mais, par surabondance, j'en ajouterai une quatrième, qui, sans être préférable aux autres, a pourtant ses avantages, puisque l'observation du soleil et de la lune se faisant dans le même instant, on n'a rien à craindre de la montre, et que le temps n'entre point ici dans l'angle horaire.

QUATRIÈME MANIÈRE DE FAIRE L'OBSERVATION DE LA LONGITUDE.

Pour cette quatrième manière il faut être deux observateurs, et avoir deux octans qu'on rectifiera avec toute l'attention possible. L'observation devra être faite lorsque le soleil et la lune se trouvent des deux côtés du méridien, ce qui a lieu dans l'après-dîner, après le premier quartier, et dans la matinée après que la lune a dépassé son dernier quartier.

Les hauteurs du soleil et de la lune de-

vront être prises par les observateurs dans
le même instant. Ils noteront l'heure de
l'observation d'après une montre quelconque, car il n'est pas même nécessaire qu'elle
soit bonne, et toute montre peut servir.

S'il arrive que la rectification des octans soit imparfaite, et que l'un péche en
plus et l'autre en moins, les erreurs se
compenseront; mais si tous les deux péchent en plus, ou tous les deux en moins,
l'erreur sera double. Voilà pourquoi on
doit donner toute son attention à les bien
rectifier.

Ayant trouvé, pour un moment donné,
les hauteurs du soleil et de la lune, le pilote calculera, d'après son point d'estime en
longitude, les angles horaires des deux
astres, dont la somme sera leur différence
d'ascension droite, si la lune n'a pas dépassé son plein; et si elle l'a dépassé, la
somme des angles horaires sera alors le
supplément à 360° de leur différence d'ascension; ce qui, par le moyen de l'ascension droite du soleil, calculée aussi d'après
le point d'estime, donnera l'ascension
droite de la lune pour le moment de l'observation : il ne restera donc plus qu'à

chercher quelle heure il était à Paris,
lorsque la lune a eu l'ascension droite trouvée; et la différence entre cette heure et
celle que comptait le pilote, et qu'il a déduite de l'observation du soleil, sera la
longitude du navire : bien entendu qu'il ne
s'en tiendra pas au premier calcul, et qu'il
le répétera, ainsi qu'on l'a vu dans les observations déjà citées, jusqu'à ce que le
résultat soit stationnaire, et que deux
calculs consécutifs donnent la même longitude.

En examinant le degré de précision
qu'on peut espérer de cette quatrième manière de trouver la longitude, on pourra
observer :

Que l'erreur sur l'heure du pilote, qu'il
déduit de l'observation du soleil et qu'il
compare avec celle de Paris, ne peut jamais
occasionner qu'une erreur égale , puisqu'elle n'entre pas dans le calcul de l'angle
horaire, et que, si l'on suppose cette erreur de 12″, ce qui est beaucoup, si l'on
s'est servi d'un bon octant et bien rectifié,
il n'en résultera sur la longitude qu'une
erreur de 12″ de temps, ou d'un peu plus
de demi-lieue.

Que, pour que l'erreur sur la longitude
pût ètre d'un degré, il faudrait que l'erreur sur la hauteur du soleil fût presque
de 1', qu'elle fût encore de la même quantité sur la hauteur de la lune, et qu'en outre elles se trouvassent toutes les deux
dans le même sens, c'est à dire toutes les
deux en *plus*, ou toutes les deux en *moins*,
ce qui n'est pas présumable : et comme on
peut avec un bon instrument obtenir la
hauteur d'un astre avec la précision de 1/2',
et que d'ailleurs il y a des erreurs qui nécessairement se compensent, je pense que
le *maximum* de l'erreur que l'on peut
craindre se borne à 1/2° au plus, et qu'on obtiendra souvent un meilleur résultat ; tandis
qu'en employant la méthode des distances,
c'est presque un miracle d'avoir la longitude à 1° près ; et que la plupart des marins s'estimeraient heureux de n'avoir pas
une plus grande erreur. Finalement, en
multipliant les observations, comme il est
toujours convenable de le faire, on boni-
fiera nécessairement cette méthode.

En résumant les avantages de celles que
je propose, et surtout des trois premières,
on voit que, dans quelques circonstances,

elles corrigent l'irrégularité de la marche de la montre, et que par conséquent toute montre devient bonne : que
dans tous les autres cas, l'erreur de l'instrument est corrigée de manière que le
résultat est le même que si l'on faisait usage
d'un octant absolument parfait; et ceci
forme un avantage dont les marins (que je
sache) n'ont pas joui jusqu'à ce jour. Je
puis me dispenser de parler de l'erreur du
pointé, puisqu'elle n'est pas particulière à
ma méthode, mais commune à toutes : je
me permettrai seulement de dire qu'il n'est
guère présumable que toutes les observations et toutes les recherches que j'ai faites
pour prévenir cette erreur puissent être
totalement infructueuses. Ainsi, me fon-
dant sur l'expérience, et plus encore sur
toutes les méditations auxquelles je me
suis livré sur cette matière, j'ose espérer
que les marins m'auront l'obligation d'a-
voir la longitude en mer, avec une précision bien supérieure à celle qu'ils obtien-
nent par les pratiques connues.

Au reste, je dois répéter ici ce que j'ai
dit ailleurs, que le fond de ma méthode
n'est pas nouveau, puisqu'on a déjà cher-

ché, bien que sans fruit, à trouver la longitude par le moyen de la hauteur de la lune; mais ce qui est nouveau et en même temps décisif, c'est l'idée au moyen de laquelle je suis parvenu à rendre nulles les erreurs de l'instrument tant dans l'observation du soleil que dans celle de la lune; et il me semble juste que l'on regarde une méthode qui a été perfectionnée jusqu'à un certain point, comme formant une découverte nouvelle. Le cercle de Borda est, à le bien considérer, le même que celui de Tobie Mayer; et ce n'est qu'une idée heureuse, conçue par M. de Borda, qui a donné à l'instrument qui porte son nom une si grande prééminence sur l'autre, qu'on doit le regarder comme un instrument nouveau, puisque celui de Mayer est aujourd'hui totalement abandonné.

MANIÈRE

Si Paris était un port de mer, et que l'œil étant élevé de treize pieds, on eût observé, le 31 janvier 1828, l'instant précis du lever du bord inférieur de la lune, on aurait trouvé qu'il avait eu lieu à 4^h 37^m 7^s 5/10 après midi temps vrai; et un pilote aurait pu se servir de cette observation pour avoir sa longitude.

Il est clair que la ligne de l'horizon tient ici lieu d'instrument, et j'ajoute que c'est l'instrument le plus parfait que l'on puisse employer, abstraction faite de la petite irrégularité des réfractions horizontales, sur lesquelles je reviendrai ensuite, pour indiquer la manière au moyen de laquelle,

5*

on peut dans bien des cas en prévenir ou
en corriger l'effet.

Lorsque, l'œil élevé de treize pieds
sur la surface de la mer, on voit le bord
inférieur de la lune tangent à la ligne
de l'horizon, ce bord a une véritable dépression apparente de 3′ 57″, et non de 3′
42″, ainsi que l'indiquent les tables ; et cela
par la raison, qu'à l'élévation de treize
pieds, une ligne droite qui, partant de
l'œil, est tangente à la surface de la mer,
est bien physiquement et bien réellement
déprimée de 3′ 57″ ; et si, d'après les tables,
elle ne l'est que de 3′ 42″, cette différence
provient d'une cause étrangère, c'est à dire
de la réfraction terrestre qui courbe en en
bas le rayon, qui du terme de l'horizon
parvient à l'œil. J'établis donc comme in-
contestable qu'un rayon véritablement
déprimé de 3′ 57″ ne paraît l'être, à cause
de la réfraction terrestre, que de 3′ 42″,
et que, par conséquent, un rayon qui paraît déprimé de 3′ 42″ l'est réellement de
3′ 57″. D'où il faut conclure que, si l'œil
étant élevé de treize pieds, on voit un
astre en contact avec la ligne de la mer,
cet astre aura un véritable abaissement ap-

parent de 3′ 57″, plus grand de 15″ que celui que donnent les tables, et sa distance apparente au zénith, sera de 90° 3′ 57″. c'est ainsi qu'après y avoir bien réfléchi, j'ai conçu et établi la chose. J'emploirai donc dans le calcul suivant la dépression calculée, sans avoir égard à celle des tables, qui ne doivent servir que lorsque, faisant usage d'un instrument à réflexion, on conduit l'image de l'astre sur l'horizon de la mer, et non lorsque c'est l'astre lui-même qu'on voit sur la ligne de l'horizon.

Ayant établi que lorsque le bord inférieur de la lune se voit sur la ligne de l'horizon, sa dépression apparente, pour un œil élevé de treize pieds, est réellement de 3′ 57″, il faut y ajouter encore la réfraction pour avoir sa dépression, ou abaissement vrai, et en déduire ensuite la parallaxe et le demi-diamètre afin d'avoir la hauteur vraie du centre de la lune et par conséquent sa distance au zénith, qui, avec sa distance au pôle et le complément de la latitude, donnera son angle horaire, lequel, combiné avec celui du soleil, fera connaître l'ascension droite de la lune pour le moment de l'observation, et par conséquent la longitude.

Voici le calcul du pilote.

Lorsque le bord inférieur de la lune touche la ligne de la mer, la véritable dépression apparente de ce bord pour un œil élevé de treize pieds, est de . . . . 3' 57"

$+$ Réfraction calculée. . . . . 34' 32"

Hauteur vraie du bord inférieur purgée de la réfraction seulement. . . . . — 38' 29"

La parallaxe horizontale pour Paris est ici de 54' 3", et c'est celle que je dois employer, parce que l'abaissement de 38' 29" ne la fait varier de rien, pas même d'une fraction de seconde. . . . . . $+$ 54' 3"

Hauteur vraie du bord inférieur de la lune. $+$ 15' 34"
$+$ Demi-diamètre ☾. . . . . $+$ 14' 46"

Hauteur vraie du centre de la lune au moment de l'observation. . . . . 30' 20"

Distance vraie du centre de la lune au zénith. . . . . 89° 29' 40"

Déclinaison ☾ au moment de l'observation 4 h. 37 m. 7 s. 5/10 de Paris, 13° 45' 34" nord, distance polaire. . . . . 76° 14' 26"

Ascension droite ☉ à 4 h. 37 m. 7 s. 5/10 de Paris, 313° 19' 10" 4/10, distance à l'équinoxe. . . . . 46° 40' 49" 6/10

Angle horaire ☉ à 4 h. 37 m. 7 s. 5/10. 69° 16' 53"

Avec la distance vraie ☾ au zénith 89° 29' 40", sa distance au pôle 76° 14' 26", et le complément de la latitude de Paris 41° 9' 46", je trouve l'angle horaire ☾ à l'est de 105° 26' 35" 2/10.

Angle horaire ☾ à l'est. . . . . 105° 26' 35" 2/10

+ Angle horaire ☉ à l'ouest. . . . . 69° 16' 53"

On a la différence ascension droite ☉

et ☾. . . . . 174° 43' 28" 2/10

— Distance ☉ à l'équinoxe. . . . . 46° 40' 49" 6/10

Ascension droite ☾ au moment de

l'observation. . . . . 128° 2' 38" 6/10

Lorsque l'ascension droite ☾ est de 128°

2' 38" 6/10, il est à Paris. 4ʰ 37ᵐ 6ˢ 7/10

Il est alors pour l'observateur. 4ʰ 37ᵐ 7ˢ 5/10

Différence des méridiens. 0ʰ 0ᵐ 0ˢ 8/10

ou plutôt la différence des méridiens est zéro, et l'observateur voit bien qu'il est sous le méridien de Paris, puisque l'erreur insensible de 8/10 de seconde de temps provient clairement des fractions négligées.

J'ai supposé que le pilote savait qu'il était à Paris, et qu'il voulait seulement faire l'épreuve de cette méthode ; mais si au lieu de cela il eût ignoré le lieu où il se trouvait, il se serait réglé sur son estime, d'après laquelle il aurait réduit le temps de son observation en temps de Paris ; et comme son premier calcul ne lui aurait donné qu'une longitude approchée, en supposant que son estime eût été fausse, il en aurait fait un second, et au besoin un troisième, pre-

nant toujours pour point d'estime la longitude trouvée par le calcul précédent ; et ,
continuant ainsi jusqu'à ce que deux calculs consécutifs donnassent le même résultat
à 1 ou 2 secondes près , il serait arrivé à sa
véritable longitude, qui dans le cas présent
aurait été 0° 0′ 0″ à compter du méridien
de Paris.

Cette méthode qui est simple et qui
n'exige pas de grands calculs , est fondée
comme on voit sur le même principe que
celle que j'ai donnée avant celle-ci ; mais
elle a sur elle un très grand avantage , en
ce que la hauteur de l'astre est donnée ici
par la nature seule , sans le secours d'aucun
instrument; et si l'on fait usage d'une bonne
lunette acromatique qui ait de la force, on
aura l'instant du contact de l'astre avec
l'horizon à la seconde précise , lors même
qu'il s'agira du bord de la lune : car quant
au soleil on n'a pas besoin de lunette , surtout si le ciel est serein et l'horizon bien
net ; puisque l'apparition du premier trait ,
et la disparition du dernier trait de lumière,
sont si subites et si instantanées , qu'on n'a
pas même à craindre l'incertitude d'une
fraction de seconde de temps.

Il est nécessaire dans cette méthode d'avoir avec précision l'heure de l'observation de la lune, c'est à dire de son lever ou de son coucher. On peut la trouver, soit par l'observation de la hauteur du soleil, faite suivant les cas, ou avant, ou après l'observation de la lune, ou bien, par l'observation même du lever ou du coucher du soleil, qui, dans cette manière de trouver la longitude, ne peut précéder ou suivre que de très peu de temps l'instant du lever ou du coucher de la lune : car, lorsque l'âge de la lune est de deux ou trois jours, elle se couche peu de temps après le soleil; lorsqu'elle est voisine de son plein, elle se lève peu avant le coucher du soleil ; lorsqu'elle a dépassé son plein d'un ou deux jours, elle se lève peu de temps après le coucher du soleil, et enfin, quand elle est voisine d'être nouvelle, elle se lève peu avant le lever du soleil.

Dans le cas présent, par exemple, où la lune est pleine, on voit qu'elle se lève à Paris à 4^h 37^m 7^s 1/2; et si l'on calcule, pour le même jour, l'instant de la disparit'on du dernier trait de lumière du soleil, où trouvera qu'il a eu lieu à 4^h $4:^m$ 3 :

d'où l'on voit que si on avait noté d'après une montre quelconque, bonne ou mauvaise, pourvu qu'elle eût l'aiguille des secondes, l'instant du lever de la lune et du coucher du soleil, l'intervalle entre les deux observations se serait trouvé de $4^m 28^s$ 1/2, qui, déduites du coucher calculé du soleil, $4^h 41^m 36^s$, auraient donné l'heure vraie du lever de la lune, de $4^h 37^m 7^s$ 1/2.

Cette dernière manière d'avoir l'heure du lever ou du coucher de la lune, présente le grand avantage de n'avoir besoin d'aucun instrument, ni presque de montre, et c'est beaucoup ; mais d'un autre côté elle expose à la petite erreur qui peut provenir de la variation des réfractions près de l'horizon. J'ignore entièrement quel est le *maximum* de cette variation, et par conséquent de l'erreur qu'elle peut produire, n'ayant jamais été à portée de faire des expériences à ce sujet faute d'instrumens et de circonstances favorables : je me bornerai donc à observer que, si l'on suppose que l'erreur de l'octant puisse aller à 1', et que l'incertitude des réfractions n'excède pas cette quantité, il deviendra à peu près égal de faire usage de l'une ou de l'autre ma-

nière de chercher l'heure, avec la différence
pourtant que je pencherais, même dans ce
cas, à faire usage du lever et du coucher du
soleil, et cela par la raison qu'on aura moins
à craindre de l'irrégularité de la marche de
la montre : par exemple, si dans l'observation du 21 janvier que je viens de citer,
on avait voulu avoir l'heure par la hauteur
du soleil, il aurait fallu, pour ne pas re-
tomber dans l'incertitude des réfractions,
observer cet astre une heure et demie, ou
même deux heures avant son coucher, et
outre que son mouvement en hauteur étant
alors un peu lent, on n'aurait pas pu obtenir autant de précision ; on voit encore
qu'on aurait eu plus à craindre de l'irrégularité de la montre dans l'espace d'une
heure et demie ou deux heures, que dans
l'intervalle de $4^m 28^s 1/2$, qui se sont écoulées depuis le lever de la lune jusqu'au
coucher du soleil. Il est vrai que les observations de ces deux astres ne seront pas
toujours aussi voisines : dans ce cas, c'est
au pilote intelligent à peser les probabilités,
et à se régler d'après les circonstances.

Il me reste à présent à parler de la manière dont on peut prévenir ou rendre nulle

6

la variation des réfractions horizontales;
car il y a des cas où cette correction est
possible; et ces cas sont ceux où l'on peut,
à de petits intervalles de temps, comparer
le coucher du soleil avec le coucher de la
lune, ou le lever de la lune avec le lever du soleil. Alors il n'y a plus de choix;
il faut absolument que l'heure de l'observation de la lune soit donnée par l'observation du lever ou du coucher du soleil.
Par ce moyen, la variation des réfractions,
quelle qu'elle soit, et de quelque cause
qu'elle provienne, ne nuira point au résultat, et sera comme non existante. Par exemple, lorsque la lune est nouvelle, et qu'on
veut l'observer après le coucher du soleil,
il faudra d'abord observer sur la montre
(réglée ou non réglée, car cela est absolument indifférent) l'instant du coucher du
soleil, et ensuite celui du coucher de la
lune, pour connaître le temps écoulé entre les deux observations; et ajoutant ce
temps à l'heure calculée du coucher du soleil, on aura non la véritable heure du
coucher de la lune, car il faudrait pour cela
que la réfraction qui a eu lieu ce jour là
fût la même qu'on a employée dans le cal-

cul du coucher du soleil, chose qu'on ne
peut pas savoir ; mais néanmoins, et dans
tous les cas, on aura de cette manière une
heure du coucher de la lune qui, exacte ou
non exacte, ce qui dépend des réfractions
horizontales, sera pourtant celle qu'il faudra employer dans le calcul de la longitude, afin que la différence des angles horaires des deux astres, dont tout dépend,
ou ce qui est la même chose, leur différence d'ascension, se trouve aussi exacte
que si la réfraction moyenne des tables sur
laquelle on a établi le calcul, n'avait pas
varié du tout.

Dans cette méthode, je le répète, la ligne
de l'horizon tient lieu d'instrument, et la
variation des réfractions répond à sa rectification, qui peut être bonne ou mauvaise sans qu'on puisse le savoir. Elle sera
bonne, si la réfraction n'a pas varié par
quelque cause accidentelle, et se trouve
égale à la réfraction indiquée par les tables, sur laquelle on a établi le calcul ; et
elle sera fausse si la réfraction a varié et se
trouve différente de celle des tables. Ainsi
on est dans le même cas où serait un pilote
qui avec un octant dont il ne connaîtrait

pas la rectification, devrait néanmoins trouver, pour un instant donné, la différence d'ascension droite exacte entre le soleil et la lune; et, comme à l'élévation de treize pieds au-dessus de la mer, la ligne de l'horizon a une véritable dépression apparente de 3' 57", tout se réduit ici à trouver l'heure à laquelle la lune aura un abaissement apparent de 3' 57", et par conséquent une distance apparente au zénith de 90° 3' 57"; sans que l'erreur sur l'heure de l'observation de la lune qui pourrait provenir de la mauvaise rectification, puisse nuire en rien au résultat, c'est à dire rendre inexacte la différence d'ascension droite des deux astres.

Supposons qu'un jour où un pilote a observé le coucher du soleil, et peu après celui de la lune, la réfraction se soit trouvée la même qu'elle est indiquée dans les tables, et telle par conséquent qu'on l'a employée dans le calcul; il est clair, en ce cas, que l'heure calculée du coucher du soleil sera exacte, et que l'heure qu'on déduira du coucher de la lune le sera également, puisque l'observation de l'intervalle de temps écoulé entre le coucher des deux as-

tres n'est pas susceptible d'erreur. On voit
de plus que les hauteurs vraies du soleil
et de la lune, que l'on calculera pour le
moment où ils étaient sur la ligne de la
mer, se trouveront aussi sans erreur : ainsi
l'heure de l'observation de la lune, c'est à
dire de son coucher, sera exacte ; les deux
angles horaires du soleil et de la lune seront exacts ; et par conséquent leur différence d'ascension droite le sera forcément
aussi.

Passons à présent à une autre supposi-
tion, et établissons que le jour où le pilote a fait l'observation ci-dessus, la réfraction s'est accidentellement trouvée plus
forte que celle qu'on a employée dans le
calcul, et voyons les conséquences qui en
résulteront.

Puisque la réfraction est plus forte qu'on
ne l'a supposée, le soleil arrivera un peu
plus tard sur la ligne de l'horizon, et son
coucher calculé devancera son coucher
observé. Il en sera de même de la lune,
dont on ne calcule pas le coucher, mais
qui certainement se couchera aussi un peu
plus tard que si la réfraction avait été moindre ; et comme la différence sera la même

et dans le même sens tant pour le soleil que
pour la lune, et que par conséquent l'intervalle entre le coucher des deux astres ne
sera pas changé, il en résulte que, ajoutant cet intervalle à l'heure calculée du
coucher du soleil, sur laquelle seule on
peut se régler, on aura l'heure de l'observation de la lune un peu fautive, et il se
trouvera qu'elle devancera l'heure de son
coucher de la même quantité dont le coucher calculé du soleil aura devancé son
coucher apparent sur la ligne de la mer.

Par exemple, si un pilote établissant son
calcul sur la réfraction des tables, qui est
la seule sur laquelle il puisse se régler,
trouve que, un jour quelconque, le soleil devra se coucher sur l'horizon de la
mer à 6^h précises, et que ce jour, la réfraction se soit trouvée telle qu'il l'a employée, en ce cas son calcul sera exact, et
le soleil se couchera réellement à 6^h précises, comme il l'a calculé. Mais si la réfraction se trouve plus forte qu'il ne l'a supposée d'une quantité quelconque, comme
par exemple de 1′, le coucher du soleil
sera alors retardé d'une quantité de temps
relative à 1′ de hauteur, ce qui, dans les cas

les plus généraux, fera de 5 à 6^s. Ainsi le soleil se couchera réellement à 6^h 0^m 6^s, tandis que le pilote devra croire qu'il se couche à 6^h précises, ce qui fait une différence de 5 à 6^s qu'il lui est impossible de prévoir, parce que les variations de l'atmosphère ne sont bien connues de personne; car outre l'effet que le poids et la température de l'air peuvent produire sur les réfractions, et dont on juge par le baromètre et par le thermomètre, il faut bien que d'autres causes encore, que l'on ignore, concourent à les faire varier; puisque sans cela, les astronomes n'éviteraient pas avec tant de soin d'observer les astres dans le voisinage de l'horizon, surtout lorsqu'il s'agit d'une opération un peu délicate.

Supposons donc à présent que le même jour le pilote ait observé l'intervalle écoulé entre le coucher du soleil et celui de la lune, avec une montre, laquelle n'a besoin ni d'être réglée, ni d'être à l'heure, et que cet intervalle se soit trouvé de 80′; il ajoutera ces 80′ au coucher calculé du soleil, c'est à dire à 6^h; et il dira que la lune s'est couchée à 7^h 20^m, tandis que le soleil s'étant réellement couché à 6^h 0^m 6^s, sans que le pilote puisse le savoir, la lune qui s'est couchée 80′ après, s'est donc couchée à 7^h 20^m 6^s; ainsi il aura sur l'heure de l'observation de la lune, une erreur de 6^s de temps; ce qui, à cause de la correction dont je parlerai plus bas, ne pourra jamais donner sur la longitude qu'une erreur égale, c'est à dire demi-lieue à peu près, supposé que la variation de la réfraction n'ait été que de 1′. Cette erreur est si petite qu'elle pourrait être négligée; mais néanmoins pour prévenir le cas où la variation de la réfraction aurait été plus considérable, on pourra par précaution employer le moyen dont je parlerai ensuite en donnant le calcul du pilote. J'observe seulement que cette petite correction finale ne pourra être utile que lorsque la variation de la réfraction se sera trouvée fort considérable, et que dans le cas contraire, surtout lorsqu'elle n'excédera pas une minute, la correction deviendrait inutile, et peut-être même nuisible, puisqu'il est difficile d'avoir l'heure en mer avec la précision de 5 à 6^s, et que c'est là la plus grande erreur que l'on puisse rencontrer en faisant usage du lever ou du coucher du soleil, lorsque la réfraction horizontale ne diffère de celle des tables que de 1′ en plus ou en moins.

Pour avoir la longitude exacte par la méthode que j'emploie ici, il faut que les angles horaires du soleil et de la lune soient exacts, ou, s'ils ne le sont pas, il faut qu'ils péchent tous les deux également par excès ou par défaut, puisqu'alors leur différence d'ascension droite, qui est ce que l'on cherche et dont tout dépend, sera aussi exacte que si les deux angles horaires étaient sans erreur. Il me reste à examiner l'effet que la variation des réfractions peut produire sur les angles horaires du soleil et de la lune, qu'on doit calculer pour le moment où ces deux astres sont vus sur la ligne de la mer.

ANGLE HORAIRE DU SOLEIL.

L'œil étant élevé de treize pieds, comme je le suppose ici, le pilote, qui ne peut se régler que sur la réfraction des tables, voyant le soleil sur la ligne de la mer, dira que le point de cet astre dont il a observé le contact avec l'horizon, était alors véri-

tablement déprimé de 38′ 29″, et avait
par conséquent un abaissement vrai au-
dessous de l'horizon de 38′ 29″, non compris la parallaxe ; et son calcul sera exact
si la réfraction s'est trouvée égale à celle
des tables. Mais si elle s'est trouvée plus
grande d'une quantité quelconque, comme
par exemple de 1′, on juge en ce cas que
lorsque le soleil sera vu sur l'horizon,
son véritable abaissement sera de 39′ 29″,
et non de 38′ 29″. D'où il résulte que le
pilote ne pouvant se régler que sur l'abaissement de 38′ 29″, et non sur celui de 39′
29″ qu'il ne connaît pas, estimera l'angle
horaire du soleil plus petit qu'il ne l'est
réellement. Chose que je note, pour le
comparer ensuite à celui de la lune ; observant seulement que si la réfraction au
lieu de se trouver plus forte que celle des
tables de 1′, se fût au contraire trouvée
moindre de 1′, tout aurait été à l'opposé,
c'est à dire que l'angle horaire du soleil,
calculé et employé par le pilote, se serait
trouvé plus grand que le véritable angle
horaire de cet astre.

ANGLE HORAIRE DE LA LUNE.

L'élévation de l'œil étant de treize pieds, comme il est dit ci-dessus, le pilote qui ne peut se régler que sur la réfraction des tables, voyant le bord inférieur de la lune sur la ligne de la mer, dira que ce bord a une véritable dépression de 38′ 29″, et déduisant de cet abaissement la parallaxe horizontale supposée de 54′ 3″, son de-mi-diamètre $=$ à 14′ 46″, il en conclura que, dans le moment où le bord inférieur de la lune touchait la ligne de la mer, son centre se trouvait réellement élevé au-dessus de l'horizon de 30′ 20″, et ce calcul sera juste si, ce jour, la réfrac-tion s'est trouvée égale à celle des tables; mais si elle s'est trouvée accidentellement plus forte d'une quantité quelconque, comme par exemple de 1′, il est clair en ce cas, que lorsque le limbe inférieur de la lune touchait l'horizon, la hauteur vraie de son centre n'était pas de 30′ 20″, mais seulement de 29′ 20″; et comme le pilote ne peut se régler que sur l'élévation de 30′ 20″, qui résulte de la réfraction des tables, et non sur celle de 29′ 20″, qu'il ne peut pas connaître, il s'ensuit qu'il estimera l'angle de la lune plus petit qu'il ne l'est réellement, ainsi qu'il l'a déjà fait pour le soleil.

Il faut remarquer en outre, que comme la variation de la réfraction est la même pour le soleil et pour la lune, elle influera également et de la même quantité sur la hauteur et par conséquent sur les angles horaires des deux astres, c'est à dire que si le pilote, trompé par la variation de la réfraction qui lui est inconnue, fait l'angle horaire du soleil trop petit, il fera par la même raison l'angle horaire de la lune trop petit de la même quantité ; et que si au contraire il fait l'angle horaire du soleil trop grand, ce qui suppose la réfraction plus petite que celle des tables, la même cause fera qu'il emploiera aussi l'angle horaire de la lune trop grand de la même quantité. D'où l'on voit que les deux astres se trouvant ici du même côté du méridien, la différence de leurs angles horaires, qui est leur différence d'ascension droite, sera aussi exacte que si les deux angles horaires étaient absolument sans

erreur, et que par conséquent l'incertitude des réfractions ne nuira en rien au
résultat, et sera comme non existante.

On objectera peut-être que pour que
la correction fût mathématiquement parfaite, il faudrait que le soleil et la lune se
trouvant du même côté de l'équateur,
leurs déclinaisons fussent les mêmes ; ce
qui est impossible : ou que leurs déclinaisons étant de différens noms, elles fussent
égales, ce qui restreindrait trop la méthode.
Mais tout en convenant qu'à la rigueur
cette objection est fondée, j'ajoute que
l'erreur qu'on peut avoir à craindre à ce
sujet est si petite, que je n'en parle que
pour montrer que j'ai cherché à appro-
fondir tout ce qui regarde cette matière,
et que j'ai porté mon attention sur des
points que je pouvais négliger, puisque
dans les cas les plus fâcheux, en supposant
non seulement que la différence de déclinaison entre le soleil et la lune est de
15 à 16°, mais encore qu'un des deux
astres est dans l'équateur, on peut calculer
que l'erreur sur la différence des angles
horaires ne serait que de demi-seconde de
temps, à la latitude de 45° et qu'elle serait

à peine d'un cinquième ou d'un quart de seconde à la latitude de 20°, ce qui est tout-à-fait négligeable.

J'ai dit plus haut que l'incertitude des réfractions pouvait en occasioner une sur l'heure du coucher de la lune, et par là une petite erreur sur la longitude. Quoique cette erreur ne puisse jamais être que bien peu de chose, voici cependant la manière de la prévenir.

Le pilote devant observer le coucher de la lune peu après celui du soleil, cherchera d'abord l'intervalle de temps écoulé entre le coucher des deux astres; il ajoutera cet intervalle au coucher calculé du soleil, et aura par ce moyen l'heure du coucher de la lune, telle qu'il doit l'employer dans son calcul. L'angle horaire du soleil pour le moment de l'observation de la lune est connu, puisqu'il a l'heure du coucher de la lune; il calculera l'angle horaire de la lune pour le moment où elle s'est trouvée sur la ligne de l'horizon, en se réglant sur la réfraction des tables, et la différence entre les angles horaires du soleil et de la lune lui donnera la différence d'ascension droite des deux astres, au moyen de la-

quelle il aura l'ascension droite de la lune ;
il n'aura plus alors qu'à chercher quelle
heure il était à Paris lorsque la lune a eu
l'ascension droite trouvée par le calcul.
J'appellerai cette heure de Paris . . . P.

Jusqu'ici tout est exact, malgré la variation des réfractions; mais le pilote devant à présent comparer l'heure P avec
l'heure de l'observation de la lune, ou soit
de son coucher qui peut se trouver un peu
inexact à cause des variations de l'atmosphère, il sera exposé à avoir une petite erreur sur
la longitude, laquelle sera de 6″ de temps,
si la variation de la réfraction horizontale a
été de 1′, qui sera de 12″, si la variation
a été de 2′; et ainsi à proportion. Quoique
cette erreur en longitude ne puisse jamais
être que peu de chose, le pilote pourra cependant la prévenir en prenant une heure
ou deux avant le coucher du soleil, diverses
hauteurs de cet astre pour régler sa montre. Cette montre réglée lui servira à trouver de nouveau l'heure du coucher de la
lune, qui sera peut-être un peu différente
de la première déjà trouvée; et la différence entre cette nouvelle heure de l'observation de la lune et l'heure P, donnera

la longitude; mais je dois répéter ici que
cette dernière correction finale ne pourra
être utile que dans le cas où la variation
de la réfraction aurait été considérable, et
qu'au contraire elle deviendrait inutile, et
peut-être même un peu nuisible si la variation n'avait été que de 1′, par la raison
que sur 1′ la réfraction horizontale ne
fait dans les latitudes moyennes que 6″
sur le temps, et qu'il est difficile, pour le
plus grand nombre des marins, d'avoir
l'heure en mer avec la précision de 6″.

Cette manière de trouver la longitude
par l'observation du lever ou du coucher
de la lune, peut être mise en pratique environ dix fois en un mois, savoir : deux
fois après la nouvelle lune, six fois avant ou
après la pleine lune, mais surtout avant et
deux fois avant la nouvelle lune; et si dans
ces dix observations on pouvait prévenir
l'effet de l'incertitude des réfractions, je ne
conçois pas qu'il pût exister une manière
plus facile et plus sûre d'avoir la longitude.

On ne peut malheureusement jouir de l'a-
vantage de cette correction atmosphérique
que dans les quatre observations qui précè-
dent ou suivent la nouvelle lune, ce qui res-

treint beaucoup cette méthode ; mais en y réfléchissant un peu, on voit pourtant que dans
bien des circonstances elle peut avoir une
plus grande extension. Si l'on se trouve, par
exemple, dans des latitudes un peu hautes,
comme par 45 ou 50°, latitudes où les cré-
puscules sont si longs, on pourra observer la lune huit fois ou huit jours en un
mois, soit avant, soit après la nouvelle
lune, et si l'on fait usage d'une bonne
lunette acromatique qui ait de la force et
une grande ouverture, peut-être que la
seule lueur de la lune lorsqu'elle est près
de l'horizon, éclairera assez la ligne de la
mer, pour que l'observation devienne
possible, lors même que la nuit est déjà
close ; on voit quelle extension cela donnerait à la méthode. J'ai fait diverses expériences à ce sujet, et quoiqu'elles m'aient
donné l'espoir de réussir, je ne puis encore les regarder comme décisives, parce
que je me suis servi d'une lunette qui,
quoique acromatique, était faible, et dont
l'objectif n'avait que quatorze lignes d'ouverture.

J'ajouterai, en finissant, qu'un observateur qui, se trouvant sur une île ou

6*

dans un port de mer, aurait l'horizon libre
à l'*est* et à l'*ouest* pourrait employer cette
méthode avec la correction de l'erreur qui
peut provenir de l'incertitude des réfractions, dans les cas même où le pilote serait
privé de cet avantage, comme par exemple
lorsque la lune est proche de son plein :
il ne faudrait pour cela qu'une pendule à
secondes dont il connaîtrait la marche :
voici comment je conçois qu'il pourrait
faire l'observation.

Voulant par exemple observer le lever
de la lune un jour où elle est presque
pleine, et qu'elle se lève par conséquent
un peu avant le coucher du soleil, il observera le même jour sur sa pendule, que
je suppose n'être pas à l'heure, l'instant
du lever du soleil sur l'horizon de la mer,
et il calculera ensuite, d'après la réfraction
des tables, le moment du lever apparent
de cet astre ; il observera également sur sa
pendule l'instant où la lune s'est trouvée
sur l'horizon de la mer, pour savoir le
temps qui s'est écoulé depuis le lever du
soleil jusqu'au lever de la lune, et, rédui-
sant ce temps en temps vrai, d'après la marche connue de la pendule, il aura ce temps

ou intervalle en temps vrai, lequel ajouté au lever calculé du soleil, lui donnera l'heure de l'observation de la lune, c'est à dire de son lever, tel qu'il doit l'employer dans son calcul.

L'angle horaire du soleil pour le moment de l'observation est connu, puisqu'il connaît l'heure du lever de la lune, qui vient d'être trouvée; il cherchera de plus l'angle horaire de la lune au moment de son lever, en se réglant sur la réfraction des tables, et la somme des angles horaires du soleil et de la lune, puisque ces astres se trouvent à droite et à gauche du méridien, lui donnera leur différence d'ascension droite et par conséquent la longitude du lieu de l'observation, sans que la variation de la réfraction puisse occasioner aucune erreur, ni nuire en rien au résultat : voici en quoi git la correction.

Le pilote qui calcule le lever apparent du soleil sur la ligne de la mer, ne pouvant se régler que sur la réfraction des tables, puisque les variations de l'atmosphère lui sont inconnues, il est clair que si la réfraction qui a eu lieu se trouve conforme à celle qu'il a employée, le calcul du lever du soleil sera d'accord avec l'observation; mais si la réfraction a été plus forte que celle des tables, le lever observé précédera le lever calculé, et ce sera l'opposé, si la réfraction a été moindre. Par exemple, si la réfraction s'est trouvée plus forte de 2′ que celle des tables, et que le calcul ait donné pour le lever apparent du soleil le moment de 6^h précises, cette heure sera postérieure de 12″ au moment du vrai lever apparent, et le pilote qui ne peut se régler que sur son calcul, basé sur la réfraction des tables, rapportera le lever de cet astre à un moment plus voisin du midi, de douze secondes de temps, qu'il ne l'est réellement. Mais comme la même cause qui a fait que le soleil a paru sur la ligne de la mer environ 12″ plus tôt que le calcul ne l'indiquait, agira également et dans le même sens sur le lever de la lune, il en résultera que, soit que la réfraction se trouve égale à celle des tables, ou qu'elle se trouve plus forte, ou enfin qu'elle se trouve plus faible, l'intervalle écoulé entre le lever des deux astres n'en sera point altéré, et se trouvera toujours le même, quelle qu'ait été la variation de la

réfraction, puisqu'elle aura toujours influé également et dans le même sens sur le lever des deux astres, chose que je note, pour ce qui sera dit ensuite.

Il faut remarquer encore que le pilote devant reconnaître l'angle horaire du soleil pour le moment de l'observation de la lune, c'est à dire de son lever, sera nécessairement conduit à faire cet angle horaire du soleil trop grand à l'*ouest* du méridien. En effet, il faut pour avoir l'heure du lever de la lune, qu'il ajoute, pour le cas présent, l'intervalle entre le lever des deux astres, à l'heure calculée du lever du soleil, qui est la seule qu'il puisse connaître. Mais, comme cette heure se trouve ici trop voisine de midi, ou trop avancée de 12^s de temps, ajoutant à cette heure l'intervalle entre les deux levers, il arrivera à un moment qui sera également après midi, trop avancé de 12^s; ainsi l'angle horaire du soleil qu'il emploiera pour le moment du lever de la lune, sera forcément trop grand à l'*ouest* du méridien, de 12^s.

Passons à présent à l'angle horaire de la lune, qui doit être calculé pour le moment de son lever.

Le pilote, qui ne peut se régler que sur la réfraction des tables, voyant la lune à l'horizon, calculera, d'après cette même réfraction, sa vraie distance au zénith, laquelle sera exacte si la réfraction s'est trouvée la même que celle qu'il a employée; mais si, comme je le suppose ici, la réfraction s'est trouvée plus forte de 2′, la distance vraie de la lune au zénith se trouvera dans le même moment plus grande de 2′, sans que le pilote puisse le savoir; et comme il ne peut se régler que sur son calcul, il fera l'angle horaire de la lune à l'*est* du méridien, trop petit d'une quantité qui, dans le cas présent, répond à 12ˢ de temps; ainsi le pilote employant l'angle horaire de la lune à l'*est* du méridien, trop pe   de douze secondes, il faudra pour compenser ce défaut, et pour que la différence des angles horaires ou d'ascension droite soit toujours exacte, qu'il emploie l'angle horaire du soleil à l'*ouest* du méridien, trop grand aussi de la même quantité. Or c'est là précisément ce qui arrive, ainsi qu'on l'a vu ci-dessus; et c'est de cette manière que la variation de l'atmosphère ou des réfractions se trouve

corrigée sans qu'il soit nécessaire de la connaître.

Rien n'empêcherait qu'un pilote employât en mer cette même manière de faire l'observation ; mais outre que l'intervalle entre les levers ou les couchers du soleil et de la lune étant ici considérable, il aurait besoin d'avoir une excellente montre, et de savoir bien en connaître la marche, il se trouve encore que le déplacement du navire exigerait des réductions souvent minutieuses, raison pour laquelle je ne m'occuperai pas en ce moment de cette opération.

FIN.

TABLE.

FIN DE LA TABLE.

Imprimé en France
FROC010113191020
25456FR00011B/228